メモで自分を動かす全技術

THE COMPLETE GUIDE
TO MEMOS
THAT WILL MOTIVATE YOU

日本手帳マネージメント協会
代表理事
高田 晃
HIKARU
TAKADA

あなたは最近、どのくらいの「メモ」をとっていますか?

はじめに

本書を手にしたあなたは、普段どのくらいメモをとる機会があるでしょうか？

パソコンやスマートフォンなどのデジタルデバイスを活用することが当たり前となった今、紙に何かを書く機会はめっきり減ったという方も少なくないでしょう。一般的に「メモ」というと、何かを忘れないための備忘録として書き残す行為をイメージされるものです。

ましてや、メモが「自分を動かす」「自分を変える」ことに効果があると考えている人は、そう多くはないかもしれません。

しかし、**意図的にメモをとる行為や、それを習慣にすることは、自分自身を驚くほど変えてしまう威力を持っています。**

私は仕事柄、法人向けのコンサルティングや一般の方向けのコーチング、講座、セミナーを通じて実に多くの人と接する機会があります。そうしたなかで、多くの人が「日常的にメモをとる習慣」によって自分を変えていった例を、間近で何度も見てきました。ですから私は、意図してメモする行為が、人を大きく変えていくことを確信しています。

では、メモやノートをどのように活用すれば「自分を動かし、変える」ことができるのでしょうか。そのことを本書では解説していきます。

メモで「思考する力」を強くする

ところで昨今、AIをはじめとするテクノロジーの発展により、私たちがおこなっている仕事の少なくない部分が、将来機械によって代替されうることが指摘されています。

とはいえ、当面の間は、私たち人間にしかできない仕事があることも容易に想像できます。

その最たる例が、**考えることやアイディア出しをすること、つまり「思考」をともなう仕事**です。

自分が保有している知識を世の中にある情報と関連づけながら、今どのようなことが起こっているか、これからどのようなことが起こりそうかを考察する。

または、自らの考えで課題を見つけ、その解決プロセスを考案し、新しい価値を生み出す。

AIとの共存社会においては、このような思考力や発想力で戦える人こそが生き残っていきます。

まさにそのとき、メモをとる「書く習慣」こそが思考力を高めてくれるのです。

メモで「人生」をデザインする

日常的にメモをとる習慣から受けられる恩恵は、考える力の向上だけではありません。それは、「人生をデザインする」ということにまで及びます。

私たちを取り巻く環境はますます複雑さを増し、人の価値観や行動様式の変化するスピードが劇的に速まっています。

進学や就職、結婚、出産といった人生の節目となるライフイベントの在り方や考え方も大きく、そして多様なカタチへと変化しました。

年功序列や終身雇用といった雇用環境から、転職や起業、副業（複業）を考えることが珍しいことではなくなり、リモートワークやパラレルキャリアなどさまざまな働き方やキャリア形成の手法も広がってきました。

このように、私たちの人生の在り方は「一様なカタチ」から「多様なカタチ」へと大きく変化しており、人生における選択肢が増えたことで、自分の人生を自らデザインしていく「ライフデザイン」の視点が強く求められるようになりました。

つまりこれからは、**人生をいかに生きるかを考える「ライフデザインする力」が求められるようになった**のです。

こうしたなかで今後役に立つのが、まさに本書で提唱する「メモをとる習慣（書く習慣)」です。

なぜなら、自分の価値基準を見つめ直し、長期的な視点によって自分が望む人生の在り方(ビジョン)を描く力が求められるとき、その**ビジョンの実現に向けた行動力は、自らと対話する「書く行為」によって高めていくことができる**からです。

*

本書では、一般的に「メモ」や「ノート」という言葉から連想される仕事の効率を高めるための方法や、備忘録としての活用法ではなく、**「自分を動かし、自分を変える」ための方法論**について解説をしていきます。

あなたがこの本を読み終えたとき、すぐにでも紙とペンで何かを書きたくなっていることを期待してやみません。

高田 晃

目次

メモで自分を動かす全技術

序章　未来は「書く習慣」でつくられる

第一章 「アイディア」を生み出す

第二章 「思考」を深める

第三章 「読書」を血肉にする

第四章 「人生」を設計する

第五章 「目標」を達成する

序章

未来は「書く習慣」でつくられる

1 「予測不能な時代」を生きる術

現代は、かつてないほどの先行き不透明な時代です。

正解がない環境下で、皆が手探りをしながら生きていく時代です。

答えがないなかで頼りになるもの、それはあなたの仮説や考えです。

今ほど、「自分の頭で考える力」が求められる時代もないでしょう。

考える力は、考えていることを言葉にすることで養われます。

つまり、**日常的にメモを書き、思いや考えを言葉にしていく習慣こそが、考える力を養う**のです。

そのことを主張するにあたって、これからの私たちを取り巻く環境変化について3つのキーワードに分けて説明します。

1―人口の急減

今後の日本は、ものすごい勢いで人口が減っていきます（次ページ図参照）。40年後には、約4000万人がごっそりいなくなる予測です。

つまり、計算上では毎年100万人もの人口が減っていくことになります。これは、簡単にいえば100万人都市である仙台市や千葉市が毎年1つずつなくなっていくペースです。

2―長寿化と超高齢化

「人生100年時代」という言葉が使われるように、現代を生きる私たちは100年近く、もしかするとそれ以上の歳月を生きることになります。

日本の人口は急減する見通し

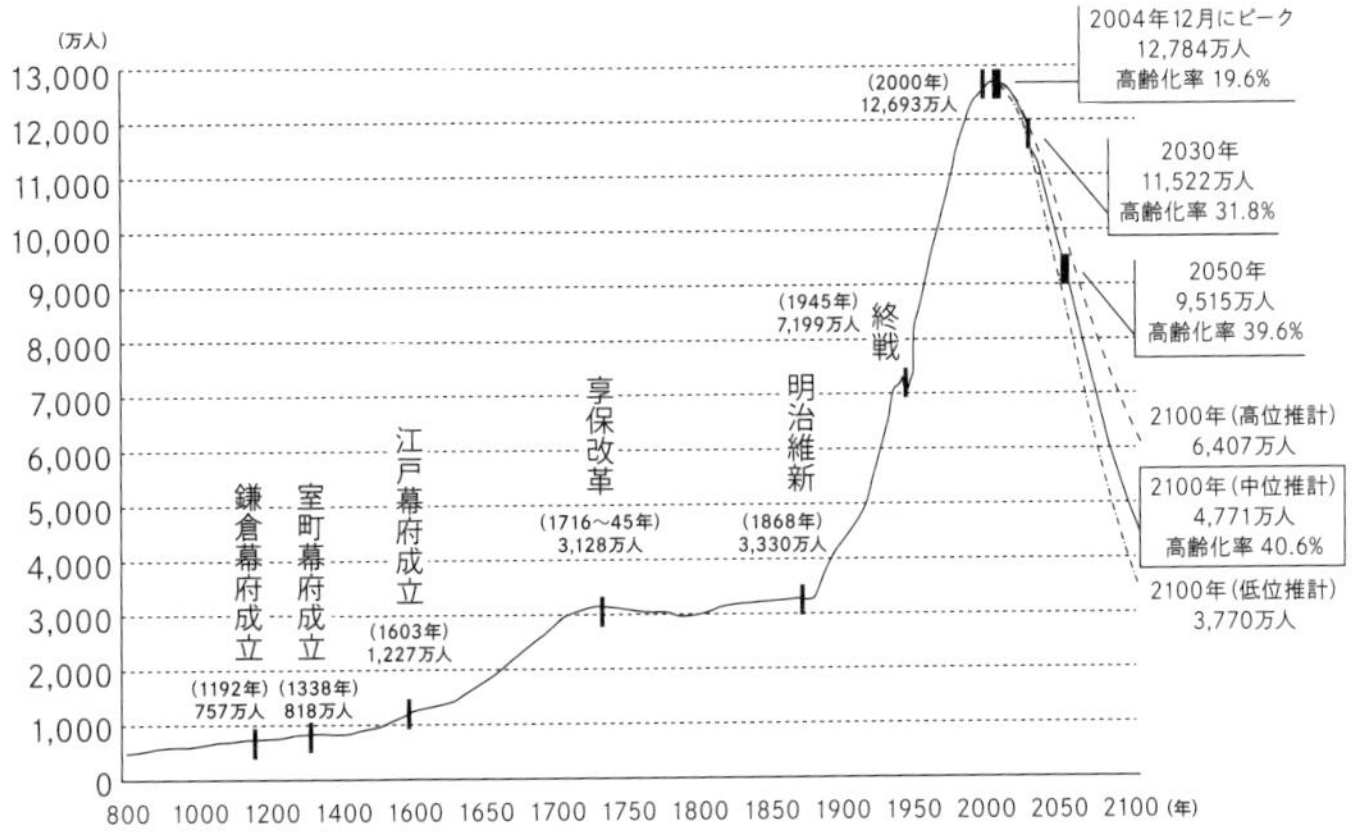

【出典】総務省「国勢調査報告」、同「人口推計年報」、同「平成 12 年及び 17 年国勢調査結果による補間推計人口」、国立社会保障・人口問題研究所「日本の将来推計人口（平成 18 年 12 月推計）」、国土庁「日本列島における人口分布の長期時系列分析」（1974 年）をもとに、国土交通省国土計画局作成

リンダ・グラットン／アンドリュー・スコット著『ＬＩＦＥ ＳＨＩＦＴ １００年時代の人生戦略』（東洋経済新報社）のなかで、２００７年生まれの日本人の約半数は１０７歳まで生きるとアメリカの人口学者による予測が紹介され、世間に波紋が広がったのは記憶に新しいです。

人生の長寿化は、同時に「超高齢社会」への突入も意味します。具体例を挙げると次のようになります。

・２０２０年、女性の半数が50歳越え（すでに現実化）
・２０２４年、全国民の三人に一人が65歳以上
・２０２６年、高齢者の五人に一人が認知症患者となる
・２０３０年、団塊世代の高齢化で、東京郊外にもゴーストタウンが広がる

※参考文献　河合雅司著『未来の年表 業界大変化 瀬戸際の日本で起きること』（講談社現代新書）

これらが、今後5～10年における日本の課題ということです。

人口減少対策総合研究所の河合雅司氏によれば、「人口の未来は予測ではない」といいます。直近1年で生まれた子供の数をカウントすれば、統計から20年後の20歳、30年後の30歳の人口はほぼ確実に推計できるからです。

つまり、例として挙げた前述の「日本の未来像」は予想ではなく、これからほぼ確実に訪れる日本の姿というわけです。

3 ― AIの浸透

近い将来、多くの職業がAIやロボットに代替されてしまうといった見通しがあります。昨今セルフレジをよく見かけるようになったように、思考や判断がともなうこと以外の仕事については、人間が不要になっていくのです。

これら3つのキーワードからわかる通り、私たちはこれから、かつて経験したことのない未知の世界を生きていかざるを得ないことが容易に想像できます。

このことが何を意味するのか？

それは、**正解やロールモデルが存在しない**ということです。

例えば、「いい大学を出て、いい会社に就職しさえすれば将来は安泰だ」といった働き方のモデルがなくなったのはもちろん、今の会社を65歳で定年退職して、老後は静かに年金暮らし……といった生き方のモデルもすっかり参考にならなくなりました。長寿化にともなう老後資金不足で、私たちは80歳まで現役で働く必要があるとさえいわれています。

ではそうしたなかで、私たちはこれからをどう生きていけばいいのでしょうか？

その答えが、「考える力」にあると、私は考えています。

2 「考え抜く力」があれば怖くない

2006年に経済産業省が提唱した社会人基礎力の1つに、「考え抜く力」が含まれています。

「社会人基礎力」はもともと、第四次産業革命のもとで発表された「職場や地域社会で多様な人々と仕事をしていくために必要な基礎的な力」のことを指していましたが、近年その重要性はさらに増してきていると考えられています。

2018年には、個人におけるこれまで以上に長くなる企業・組織・社会との関わりのなかで、ライフステージの各段階で活躍し続けるために求められる力を「人生100年時代の社会人基礎力」と新たに定義しました。

「考え抜く力」を構成する3つの要素

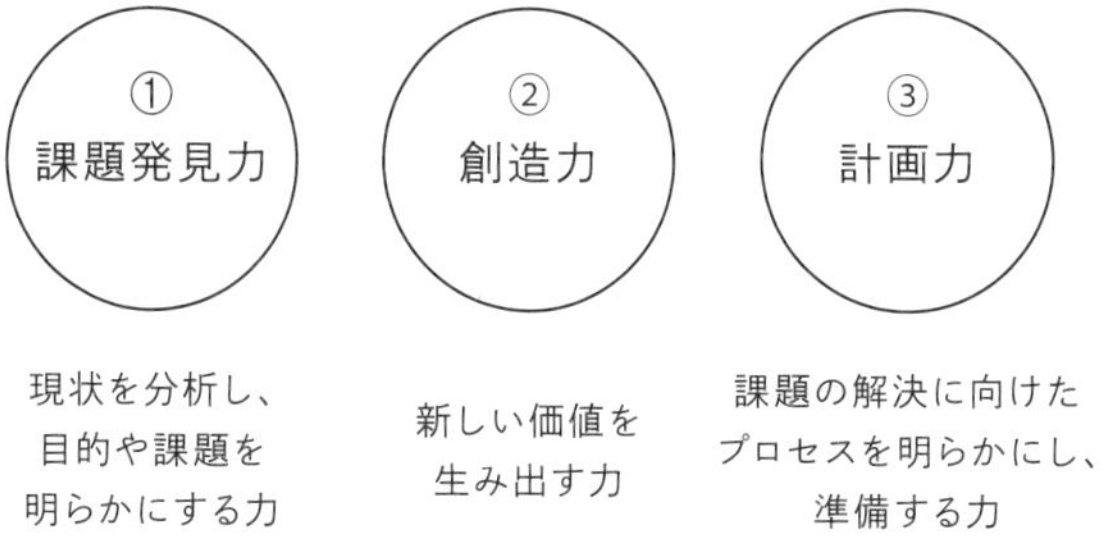
①
課題発見力
②
創造力
③
計画力
現状を分析し、目的や課題を明らかにする力
新しい価値を生み出す力
課題の解決に向けたプロセスを明らかにし、準備する力

【出典】経済産業省ホームページ（https://www.meti.go.jp/policy/kisoryoku/index.html）

このなかの1つである「考え抜く力」は3つの要素からなり、これからの時代で、仕事や私生活を充実させていく上で必須のスキルセットになるとされています（上図）。

ところで、私たちはすでに日常生活を送る上で目立った不便や不満を感じることは少なくなっています。

ビジネスシーンで考

えてみても、「目に見えるわかりやすい課題」が減少してきているのが現状でしょう。

そうしたなか、企業や人が価値を創出していくためには、**「新たに課題を発見する力」**や**「発見した課題を解決するためのアイディアやプロセスを考案する力」**が必須となります。

新たに課題を発見し、その解決のための施策を考案して、トライ&エラーを繰り返しながら結果を出していく。

そんなプロセスを踏める人材が重宝されるようになるのです。

3 「書く習慣」で知的生産力を高める

では、これからの時代に求められる「考える力」を伸ばすには、どうすればいいのでしょうか。

その答えが、メモやノートの活用を通じた「書く習慣」にあります。

メモやノートは、インプットしたことを忘れないようにするための「備忘録」として活用している人が多いようですが、それではもったいありません。

実はこれからの時代を生き抜くための必須スキル「考える力」を引き出すための強力な武器になるからです。

ここでいう「書く習慣」とは、次の2つです。

① 日常のなかで気づいたことをメモする習慣

② ノートや手帳に書きながら思考する習慣

例えば、友人との何気ない会話のなかから気づいたことをメモに残しておき、

↓

後日そのメモをもとにノートを使って「自分にどのように活かせそうか?」と考えをめぐらせ、

↓

そこで得たアイディアを実際の行動に結びつけていく。

①
「日常のなかで気づいたことを
メモする習慣」をつけるメリット

・情報過多の現代でも、自分に必要な情報を取捨選択できるようになる
・情報感度が高まり、普段なら気づかないような「気づき」や「ひらめき」を得られやすくなる

②
「ノートや手帳に書きながら
思考する習慣」をつけるメリット

・インプットした情報を、アウトプットする力が向上する
・創造性が高まり、企画力や発想力が向上する
・物事を考える力が高まり、自分の意見を持てる(言える)ようになる

これからの時代に求められるのは
知的生産力を高めること!

このように「書く習慣」を身につけることによって、何気ない日常のなかで、自分のアンテナに引っかかった情報をすかさずキャッチアップし、そこに自分の考えや着想を加えることで、自分自身のアイディアや意見、企画へと昇華させていく力を養うことができます。

こうしたクリエイティブなアウトプットをする力のことを**「知的生産力」**と呼びます。

この知的生産力こそが、これからのＡＩ時代で、私たちが活躍する人材になれるか否かを分ける要諦であり、今後求められるスキルセットなのです。

4 夢は「書き出す」ことで実現する

「書く習慣」は考える力の向上だけでなく、私たちの夢をも現実のものにしてくれます。

一度きりの人生において、「収入を増やしたい」「もっと広い家に住みたい」「幸せな家庭を築きたい」など、漠然とした理想や願望は誰しもが抱いているものです。

しかし、それらを単なる夢物語で終わらせることなく、「現実のこと」として実現するためには、頭のなかでイメージしているだけでなく、具体的に目に見える形で可視化し、実現に向けた日々の行動に結びつける必要があります。

そこで役立つのが「書く習慣」というわけです。

夢の実現に「書く習慣」がもたらす効果は、3つあります。

まず、自分が理想とする将来像（＝夢）を手帳やノートに書き出すことで、自分が何を目指しているのかを明らかにします。すると、その想いを強く育てることができます。

漠然としていた想いが、手帳やノートに書き記すことで明確になるのが1つめの効果です。

そして2つめは、**行動力が高まる**ことです。

夢を書き出すだけでなく、それを現実のものとするための計画までつくり上げることによって、実現に向けた小さな一歩を踏み出せるようになります。

夢の実現プランを考え、計画し、書き記すことによって、日々の具体的な行動へと結びつけることができるのです。

しかし、その計画に基づいて日々努力を重ねていくなかで、すべてのことが計画通りにいくほど甘くないのが現実です。

それでも頓挫することなく行動し続けるためには、定期的に自身の行動を振り返る機会を設け、最初につくった計画に何度も加筆修正を加えながら着々と夢に近づいていくよう軌道修正を図っていく、いわゆるＰＤＣＡ（プラン→実行→検証→改善）が必要となります。

この**ＰＤＣＡを持続的に回していけるようになる**のが、「書く習慣」のもたらす３つめの効果なのです。

夢の実現に「書く習慣」がもたらす効果

① 夢や願望が明確になる

自分が理想としている将来像を、
漠然としたものから明確なものにしていくことができる

② 行動力が高まる

夢の実現に向けたロードマップという名の計画をつくることで、
具体的な行動に結びつけることができる

③ 持続的にPDCAを回せるようになる

最初につくった計画に何度も加筆修正を加えながら、
粘り強く行動し続けることができる

5 「書く習慣」が私の人生を変えた

ここで、「書く習慣」が著者である私に、どのような影響を与えたかについても触れておきたいと思います。

私自身まだまだ夢への道半ばですが、今日まで走ってこられたのも、「書く習慣」の力が大きかったと言わざるを得ません。

私は現在、2社の会社の代表を担っており、Webコンサルティングや起業・副業支援、オンラインコミュニティの運営、セミナー講師業や大学講師の仕事をしています。

手前味噌ではありますが、好きな時間に、好きな場所で、好きな相手と、やりたいことを仕事にするという自分にとってかなり理想に近い状態にあります。

とはいえ、はじめから順風満帆だったわけではありません。

10代の頃は素行が悪く、勉強もろくにしていなかったことから高校時代の成績は常にクラスで最下位。自慢ではありませんが、テストの順位はいつもぶっちぎりでビリでした（笑）。


自分のなかで大きく意識が変わったのは、20歳のときに書店でたまたま手にとった『一冊の手帳で夢は必ずかなう』（熊谷正寿著／かんき出版）という本を読んでからです。

同書では、夢の実現に向けた手帳の使い方が、著者である熊谷氏の実体験とともに紹介されていましたが、これが当時の私にとっては目から鱗が落ちるほど衝撃でした。

すぐさまシステム手帳を購入したのは、言うまでもありません。

これが私にとっての、「書く習慣」のはじまりです。

以降、約20年にわたって「書く習慣」を実践し、前のパートで紹介したようなPDCAを粘り強く回しながら、紆余曲折を経て現在までやってくることができました。

今ではストレスのない働き方を選び、趣味であるサーフィンに熱中し、少年サッカーチームのコーチとして大勢の子供たちの成長を間近で見て刺激をもらいながら、家族5人で円満に暮らしています。

初めて自分の理想の将来像を手帳に書き記した20歳のときの自分からすれば、ちょっと大げさですが夢のような生き方だと感じています。

周囲からは「やりたいことを全部やって、毎日が楽しそう」とか、「生き方に憧れる」といったことを言われることが少なくありませんが、「自分らしいライフスタイルを謳歌する」をテーマとしている私としては、これ以上にないほめ言葉です。

こうしたことは、すべて「書く習慣」によってもたらされ、「書く習慣」によって今もなお維持できているのだと考えています。

具体的な「書く習慣」の内容については次章以降で詳しくお伝えしていきますが、次の3点が私にとっての「三種の神器」となっています。

①メモを書き残すためのメモ帳
②メモをもとに思考をめぐらせて、アイディアを発案するためのノート
③目標や日々の計画を書き記す手帳

念のために記しておくと、これらを駆使して成果を出すことができたのは、何も私だけではありません。

私の主宰する『My手帳倶楽部』という会員制学習コミュニティでは、本書で紹介する「書く習慣」を含めて、これまで私が培った経験とノウハウを共有していますが、実践された会員メンバーからは成果報告があとを絶ちません。

・専業主婦から起業を実現。さらに、本まで出版した

・自身が経営する会社の業績が向上。同業者の育成も手がけるようになった
・うつ病を克服して社会復帰できた
・年収が2倍になった
・外部の公共団体から講演依頼を受けて、セミナー講師としてデビューできた
・離婚寸前の状態から、夫婦円満に一転した
・平社員から経営幹部に抜擢されて、部下600人を束ねるようになった
・ダイエットで体重が15キロ減った

ここに挙げた事例はほんの一部に過ぎませんが、すべてに共通するのは、その成果の大もとが「書く習慣」によってもたらされているということです。

メモとノートを使った「書く習慣」1つで自分を動かし、変えていくことができる。

そのことを、本書を通じて学び、すぐにでもその実践に取りかかっていただきたいと思っています。

6 多くの成功者を支えた「書く習慣」

政治や芸術、スポーツなどさまざまな分野で活躍した偉人、あるいは今もなお活躍している人たちは、よくよく調べてみると、その成功の背景には「書く習慣」が支えとなっているケースが多いように感じます。

そのような先人のメモやノート活用法について詳しく知ることによって、どのような「書く習慣」を持つことで自己変革に活かせるのかといったヒントを得ることができます。

そこで、ここでは「メモ魔」とされる代表的な先人たちの「書く習慣」を取り上げていきたいと思います。

1 — 芸術・発明

◎レオナルド・ダ・ヴィンチ

歴史上の偉人で有名なメモ魔といえば、真っ先にあがるのがレオナルド・ダ・ヴィンチです。

『レオナルド・ダ・ヴィンチの手記（上・下）』（杉浦明平訳・岩波文庫）によると、ダ・ヴィンチは常にポケットに手帳を持っていて、やたらと何でも書き込んでいたそうです。

例えば、弟子が買い物に行って帰ってくると、いちいち品物の値段を聞いて書き込むという具合に、一見何の役にも立ちそうにないことまで克明に手帳へ書き込んでいたといいます。

◎トーマス・エジソン

そんなダ・ヴィンチにならってノートをつけていたとされているのが、発明家のトーマス・エジソンです。

エジソンもまたメモ魔であったことで有名で、残したメモの数は大学ノートサイズで3500冊にも及びます。1年で100冊（3~4日で1冊）書いたとしても35年かかる計算ですから、すさまじいまでの執念といえるでしょう。

彼が記した約500万ページにわたる文献の整理・分類を、専門家集団が、いまだにおこなっているというから驚きます。

エジソンのノートには自分のアイディアだけでなく、他の発明家が発表した論文や紹介記事、誰かに先を越された特許、自然や社会の出来事についての感想も書かれています。また、自分がピンチに陥ったときの相談相手は、いつもノートだったそうです。

生涯で約1300もの発明を世に送り出した彼にとって、アイディアは資本であり、そのアイディアの多くはこのノート（メモ）から生まれたといっても過言ではないでしょう。

エジソンのノート

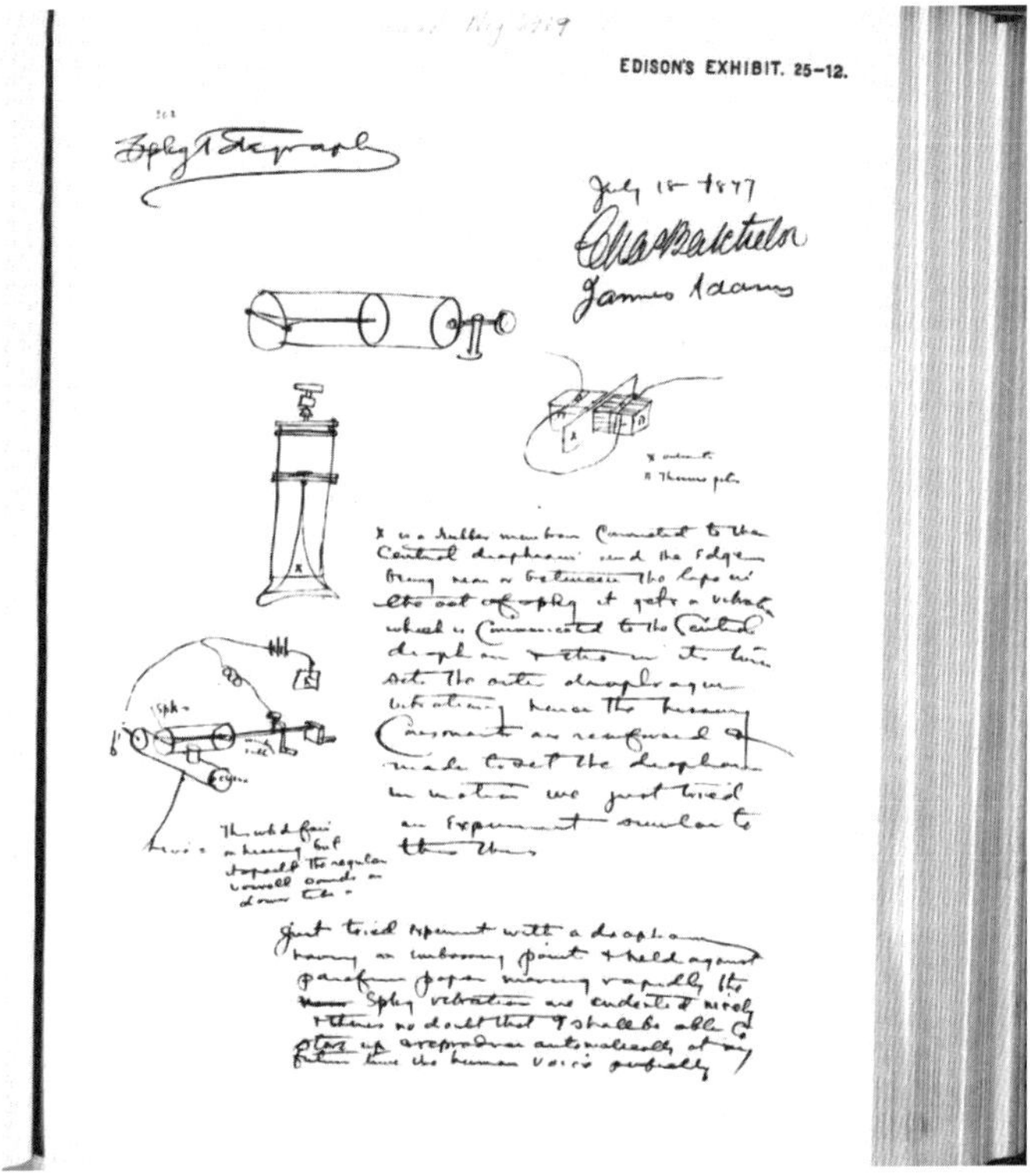

出典：Thomas A. Edison Papers (https://edison.rutgers.edu/)

2 ― 政界

◎レーニン

「ノートづくりの天才」と称されるのが、ロシアの政治家であり哲学者でもあったレーニンです。

レーニンは、図書館にある本や資料を読みあさりながら、読んだ書物の抜き書きをノートに写し、さらには自分自身の見解や感想などもメモしていきました。

そのノートさえあれば、読んだ書物の内容を復元できるようになっているのが彼のノートの特徴とされています。

なかでも、『レーニン全集　第38巻　哲学ノート』（大月書店、岩波文庫）は、レーニンの読書ノートを詳細に再現していることで有名です。教育評論家の「尾木ママ」こと尾木直樹氏が「何度も読み返した」と絶賛しているだけでなく、元外交官で作家の佐藤優氏や、教育学者の齋藤孝氏も自身の著書のなかで紹介しています。

レーニンのノート

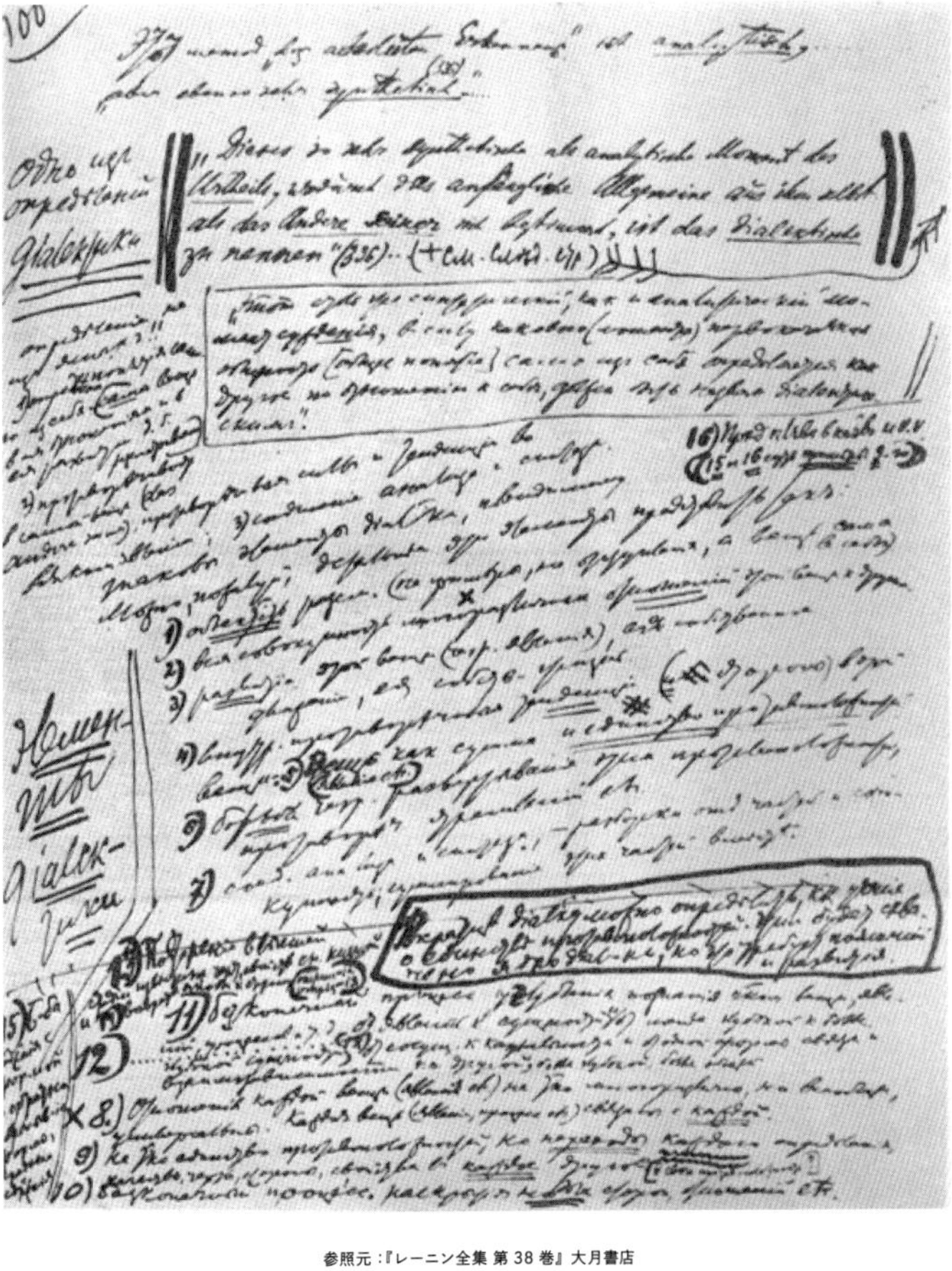

参照元：『レーニン全集 第38巻』大月書店

◎第40代 内閣総理大臣・東條英機

太平洋戦争中の総理大臣である東條英機氏も、メモ魔であったことで有名です。彼は、どの会議や会談でも気づいたことをメモに残していました。

それだけでなく、執務が終わった後、年代別やテーマ別に分けられた別冊の手帳に転記し続けていたようで、主には首相用、陸相用、総長用という3冊の手帳を使い分けていたそうです。

このメモの転記作業を大切にしていた東條氏は、立場的に出席しなければならない会食なども多かったはずですが、最初に少し顔を出して帰ってしまうことが多かったとか。また、「仕事に差し支える」と、お酒も口にせずだったというから、その厳格さをうかがうことができます。

些細なことでもメモをとり、さらには転記作業までおこなっていた彼に、軍部でも政府内でも議論で勝てる者は一人もいなかったといわれています。

3 — アスリート

◎プロ野球・野村克也監督

日本球界の発展に大きく貢献された野村克也氏もメモ魔として有名でした。

野村監督の代名詞ともなっていた「ＩＤ野球」は、経験や勘に頼ることなく、データを駆使して科学的に戦略・戦術を選択していく同氏のスタイルからつくられた言葉ですが、そのベースとなっていたのは、「野村ノート」と呼ばれる蓄積されたメモの集積でした。

現役時代は対戦投手、対戦打者ごとに1ページずつを割いてノートをつくり、就寝前にはその日のメモを見返してノートに書き写すことが毎日の習慣だったようです。

著書『野村メモ』（日本実業出版社）には、次の一文があります。

「こうした地道な作業を続けていくことが意外と難しいのではないかと思う。そし

「野村ノート」

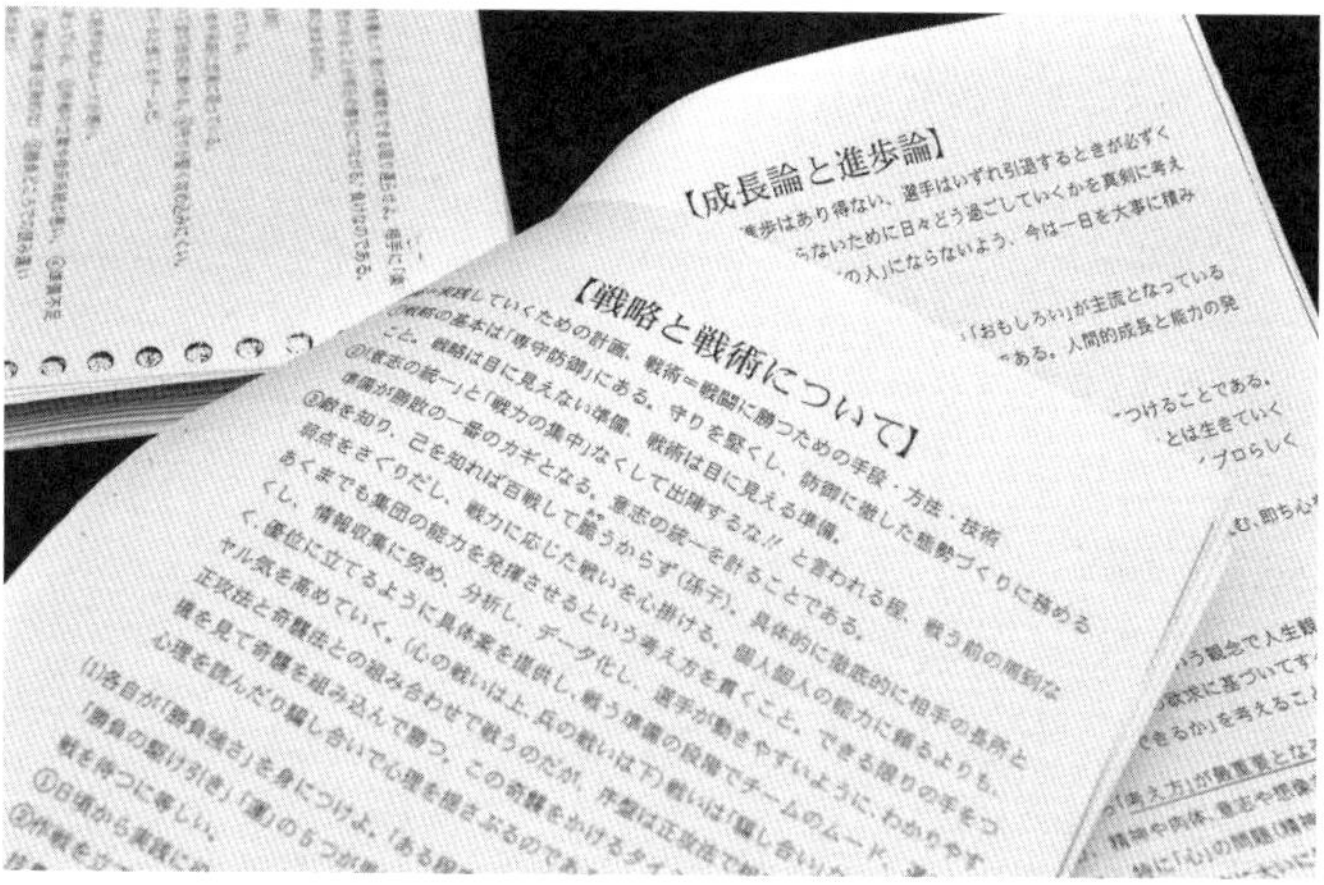

野村監督が 1999 年、阪神タイガースのキャンプで配布した「野村ノート」のコピー。考える力を養うことに重きを置いていた野村監督は、チームミーティングの時間を大切にしていたという。

【出典】https://www.sankei.com/article/20200216-6EN5JV6YBVPHNBVR6Y6YC6UJIY/

て、続けることで結果が違ってくるというのは断言してもいいだろう」

もとは「野球を極めたい」という思いから書き始められたという「野村ノート」ですが、結果的にその内容は人間教育や組織論、弱者の戦法など半分以上が野球以外のことだといいます。

◎サッカー日本代表・森保一監督

2022年サッカーワールドカップで日本代表が躍進したことで、日本国内は熱気と興奮に包まれましたが、なかでも話題となったのが森保一氏のメモ術についてでした。

森保監督は、常に携帯している小さなノートに思いついたことや気づいたことをメモし、試合の戦術面に活かすだけでなく、チームの問題点や改善点のアドバイスを選手に伝えたりするなど、さまざまなところにメモを活用しています。

そういう意味では、メモが日本サッカーの成長を促したといっても過言ではないでしょう。

森保監督が愛用しているノートはコクヨの「キャンパスノート」で、試合用はB6サイズ、練習用はひと回り小さいA6サイズだそうです。

私も息子がサッカーを始めたのをきっかけに、少年サッカーチームのコーチを担っていますが、森保監督を見習って、サッカーのときはキャンパスノートを持ち歩いています。

◎サッカー元日本代表・中村俊輔氏

中村俊輔氏の著書『夢をかなえるサッカーノート』（文藝春秋）は、「アスリートが競技スポーツにノートを活かしている」という事実を世に知らしめた先駆的一冊だったと記憶しています。

恩師からの勧めもあり、高校2年生のときから書くようになったという彼のノートは、1ページめに、短期・中期・長期という3つの時間軸で「目標」が記されています。

また、シーズン中の「試合」や「練習メニュー」の記録だけでなく、日々の「気づき」や心の感情を書きとめた「メンタル」のメモ、ドリブルやフェイント、フリーキックの「イメージ画」に至るまで、実にさまざまなことが1冊のノートに書きとめられています。

同著にある、「静かな空間でひとりノートに向き合う時間、それが僕の人格を育ててきたのかもしれない」というコメントから、彼にとってノートを書く習慣がいかに大切なものであったのかをうかがうことができます。

4 ― ビジネスパーソン

◎実業家・藤田田氏

日本マクドナルドを創業した伝説の起業家、藤田田《でん》氏。

彼は同社を、日本を代表する外食企業に育て上げただけではなく、日本の外食業界に科学的な経営理論を導入し、産業化を成し遂げた最大の功労者でもあります。

そんな藤田氏もまた、「24時間メモをとれ」と豪語する圧倒的メモ魔であったことで知られていますが、彼がメモ魔になったきっかけは、ユダヤ人に弟子入りしたことだったといいます。

「ビジネスのヒントは、1つのメモから生まれる」と述べていた藤田氏、現にマクドナルドの地域出店戦略を支えていたのは、日々のメモによって蓄積されてきた雑学でした。

彼の代表作『勝てば官軍』（KKベストセラーズ）によると、自宅のトイレや寝室、風呂場、食卓や会社などいたるところに、小さなメモ用紙と鉛筆を置いていたといいます。アイディアを思いつき、有益な情報を得たときは、24時間どこでもメモを書きつけて毎日見返ししていたようです。

彼もまた、筋金入りのメモ魔だったことがうかがえます。

◎実業家・孫正義氏

ソフトバンクグループ創業者の孫正義氏にとってのメモは、「覚え書き」や「備忘録」といった性格のものではありません。

同社には客人を招くための和室の応接間があるそうですが、その部屋の襖は、すべてがホワイトボードになっているとか。

海外からの賓客を招いて意見交換する際には、議論のポイントをその襖に書き出し、アイディアを共有しながらビジネス構想を練り上げることもあったようです。

そんな孫氏がメモを習慣化したきっかけは、アメリカ留学時代に書きためていた「発明ノート」にありました。

カリフォルニア大学バークレー校で経済学を専攻していた当時19歳の彼は、自分で学費を稼がなければならない状況だったようです。

しかし、勉強の時間が削られてしまうことが嫌だった彼は、「優れた発明をして、それを企業に買ってもらえば限られた時間でも稼ぐことができる」と考えました。

そこで、毎日5分を使って、1日に1つ発明をする習慣を自らに課したのです。

そのとき、アイディア発想のために使っていた「発明ノート」が、彼のメモを書く習慣の始まりです。

結果的に彼は、250以上の発明アイディアを生み出し、そのうちの1つである世界初の「音声機能つき翻訳機」をシャープに売り込んで1億円を手にしたのは有名な逸話となっています。

◎経営コンサルタント・大前研一氏

マッキンゼーの元日本支社長であり、日本国内で経営コンサルティングというマーケットを確立した立役者でもある大前研一氏。

彼の名が一躍有名となったのは、著書『企業参謀』（講談社文庫）の出版がきっかけでした。

この本は30年以上前に刊行された本であるにもかかわらず、今もなお読み継がれている名著です。ビジネススクールや企業研修の場では戦略思考の教科書として使われています。

そして、その本のベースになったのは、大前氏がコンサルティングの現場で書きためてきたメモだったという話は有名です。

大前氏もまたメモ魔として知られており、コンサルティング現場での出来事やクライアントとの会話、日々考えたことを大学ノートにメモして書きためていたそうです。

そして、そのノートが出版編集者の目にとまって世に出たのが前述の著書なのです。

大前研一氏のメモ

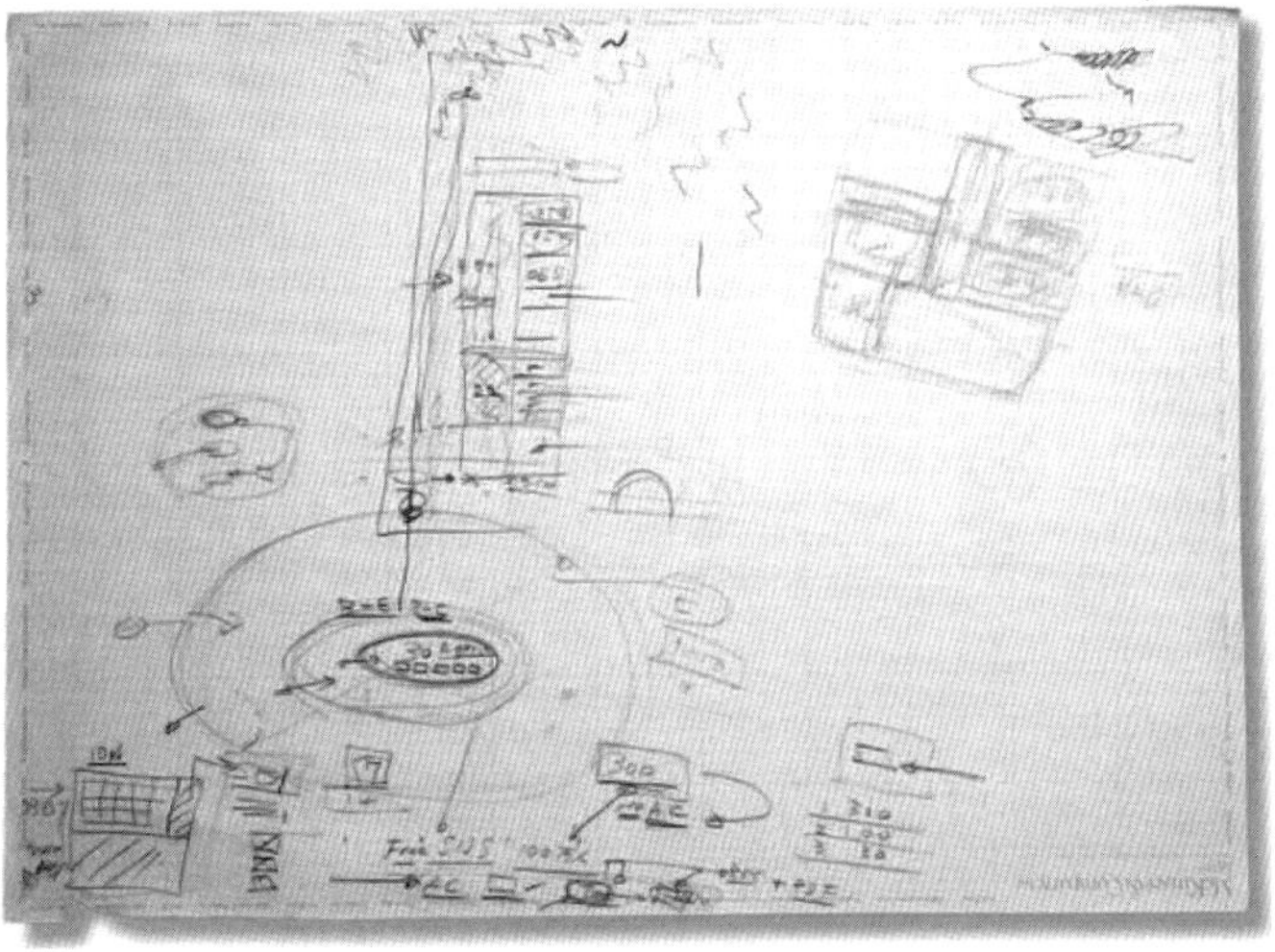

【出典】https://president.jp/articles/-/6399

7 きれいで美しいメモやノートは必要ない

学校では勉強を教えてもらえても、実践的なノートのとり方まで教えてもらえることはほぼありません。

そのため、授業中に黒板に書かれた板書を、そのままノートに書き写していた人は結構多かったのではないでしょうか。

ノートに書き写しただけで、「十分に勉強した」と錯覚してしまう……。

最近では、何色ものペンやマーカーを使って書き込み、「マステ（マスキングテープ）」までも駆使した色とりどりな手帳やノートの写真を、インスタグラムを中心としたSNSに投稿する人を見かけるようになりました。

見た目は確かに色鮮やかできれいなことから、その写真に心躍らされるフォロワーも多いのかもしれません。

しかし、そうしたカラフルで色鮮やかな手帳やノートが、はたして現実の世界で自分自身に何かしらの効果をもたらしているのかについては疑問が残ります。

ノートをつくることが趣味で、それ自体を目的としているのであれば結構なことですが、私のようなビジネスパーソンにとっては、メモやノートをカラフルできれいに装飾することにほぼ価値はありません。

えてして、仕事ができる人や目標達成力の高い人たちのメモやノートを見させてもらうと、「見た目のよさ」とは対極であることの方がほとんどです。

例えば、日常のなかで得た「気づき」をメモとして残し、それらを元にノートを使って「思考を整理」するといった具合です。書き殴りや加筆修正も多く、必ずしもきれいなノートと呼べる状態にはなっていません。

優秀な人は「考えること」に重きを置いていて、字のきれいさやノートの華やかさの優先順位は低いからでしょう。

このように、メモやノート術について詳しく研究していくと、仕事ができて物事をしっかり考えられる人のノートは、前述のようなカラフルで鮮やかさをまとった「見せかけのノート」とは異質であることがわかります。

もちろん、メモやノートのとり方に「こうするべき」という絶対解は存在せず、10人いれば10通りの活用法があるのも事実です。

しかし、メモにしてもノートにしても、本書でテーマとしている「自分を動かし、自分を変える」という点においていえば、いかにしてアウトプットに結びつけていくのかが重要となります。

本書で紹介するメモやノートの活用法に共通するキモは、「いかにアウトプットに変換するか？」ということであると覚えておいてください。

それが、数多くの先駆者から学び、私自身も実践してきた経験からいえる結論です。

8 デジタルツールより「手書き」を重視する理由

本書では、手書きによる「書く習慣」を提唱していますが、メモやノート活用といったこの手の話になると、必ず出てくるのが「アナログ対デジタル」論争です。デジタル全盛となった現代においては、メモ1つとってみてもタブレットやスマートフォンに入力して残すことの方が効率的と考える人が多いでしょう。

私自身も、会社員時代からＩＴ業界に身を置いてきた「ＩＴ系の人間」ですから、そのことについてまったく違和感はありません。

そもそも、メモをとるのに「こうすべき」という唯一の方法なんてものはなく、手帳やノートに手書きで書き込む方がやりやすい人はそれでいいし、タブレットやスマートフォンに打ち込みたい人はそちらを使うようにすればいいと考えています。

要は、自分にとって使いやすいと思うものを採用すればいいだけの話です。

ただし、本書でテーマとしている「自分を動かし、自分を変える」ための書く習慣という観点においていえば、手書きのアナログに優位性があると私は考えます。

その理由は次の5つです。

理由1 ― 記憶に定着しやすい

今となってはデジタルよりも、アナログの方が記憶に定着させやすいことを、科学的な観点から証明しているエビデンスが多数存在します。

例えば、アメリカのプリンストン大学でおこなわれた研究で、講義のメモをパソコンでとるよりも手書きでとる方が、概念の理解度を確かめるテストにおいて成績が高くなったと示されました。手で文字を書くという複雑な運動によって脳が刺激され、情報をより長期的に記憶できたのです。

また、東京大学でも、タブレット端末やスマートフォンよりも、紙の手帳を使用した方が記憶力や脳活動が高くなることを明らかにした、「紙の手帳」の脳科学的効用について研究した論文を発表しています。

ここで紹介した研究結果はごく一部にすぎませんが、このように手書きの効果は科学的な裏づけも存在しているのです。

理由2 ― 立ち上がりが早い

本書で提唱する「書く習慣」では、日常のなかで得られるちょっとした気づきをメモに残していく行為は、非常に重要な位置づけとなっています。

そのため、何か書き込みたくなったときに、サッとすぐに書くことができる立ち上がりの早さは、書く行為を習慣形成していく上でもポイントとなってきます。

デジタルの場合だと、端末を立ち上げて、メモアプリなどを開いてからようやく入力となるので、どうしても起動性に欠けてしまいます。

わずかな差だと思いますが、そのちょっとした差が「書く習慣」を身につけられるか否かの分かれめになってくるのです。

理由3 — シンプルゆえに使いやすい

紙のメモ帳やノートとは異なり、デジタル端末は多機能なケースがほとんどです。膨大な機能があるということは、実際には必要のない機能が大量に積まれているというとらえ方もできます。

例えば、フォントや色に数百もの選択肢があったりしますが、このような細かな調整が、かえってメモをとる作業の邪魔になったりもします。

このように、デジタルは多機能すぎるゆえに注意力が散漫になることが多く、それがかえって発想を邪魔することになるので注意が必要です。メモやノートをとることに関していえば、シンプルが一番ということです。

理由4―自由度が高く、発想が豊かになる

デジタル端末では、規定のフォーマットに則って書くことが多いですが、手書きでは書く場所、文字の大きさ、囲みやアンダーラインの有無など基本的に自由です。結果的に、発想が豊かになりやすく、思考の整理もしやすくなります。本書の第二章では、アイディア発想のための書く習慣について取り上げていますので、詳しくはそちらに譲りたいと思います。

理由5―見返しやすい

過去のノートを見返したときに、「そういえば、こんなこと考えていたっけな」と気づかされた経験はないでしょうか。閲覧性がよく、パラパラとページをめくりな

がら思考整理をするには、やっぱり紙が優れているのです。

一方で、「これを探す」というように、目的が明確になっている顕在的な行為においては、検索性に優れたデジタル端末に軍配が上がるでしょう。

しかし、それゆえデジタル端末では「何となく見返す」という潜在的な行動につながり難く、結果として思考整理やアイディア発想には不向きであるというのが私の考えです。

以上5点が、私がアナログを推す理由となります。

具体的なメモやノートの活用法を知ることによって、より一層アナログの利点を理解することができると思いますので、ぜひ以降の章も読み進めてください。

COLUMN

「書く習慣」で主体性を育む

先ほど紹介したサッカー元日本代表の中村俊輔氏以外にも、野球の大谷翔平選手や卓球の伊藤美誠選手、早田ひな選手など、ノートを活用しているアスリートは数多くいます。

スポーツジャーナリストの島沢優子氏は、著書『世界を獲るノート』（KANZEN）のなかで、「ノートは主体性の萌芽」と表現していました。

同著のなかで、「世界に手をかけるアスリートたちを貫く一本の串。それは『主体性』だった」と記している通り、トップアスリートに共通するのは自ら考え、行動するというマインドセットであり、その主体性は日々のトレーニングのなかで書きとめられるメモとノートによって萌芽されているというのです。

先のパート6で少し触れた通り、私は小学校6年間、自分自身がサッカーに明け暮れた経験があることから、長男がサッカーを始めたのをきっかけに、少年サッカーチームでコーチを担っています。

最近では、中村氏のように子供たちにサッカーノートを書かせるチームが少なくありませんが、私のチームでも導入しています。

狙いは、ただ何となく練習や試合に臨むのではなく、きちんと主体性を持って取り組んでもらうようにすること。そして、「自分の頭で考える力」を養うこと。

この2つが導入目的ですが、漢字を覚えやすくなったり、語彙力が向上するなど、副次的な効果も見受けられます。

サッカーノートでは、普段の練習や試合で得た「気づき」や「感じたこと」を書くだけでなく、「次に向けて何をするべきか?」という課題意識まで子供ながらに持つようになるため、書く行為を通じて子供たちがどんどん主体的な姿勢になっていくことを実感します。

目的意識を持って主体的な姿勢で練習に参加するのか、それとも、ただ何となくコーチに言われるままに練習するのか。当然ですが、子供たちの成長は明らかに異なってきます。

これは何も、子供たちに限った話ではありません。

私たち大人であっても、仕事や日々の日常生活において、「主体性」が大きなキーワードになってくるのです。

著者が取り組んでいるサッカーノート

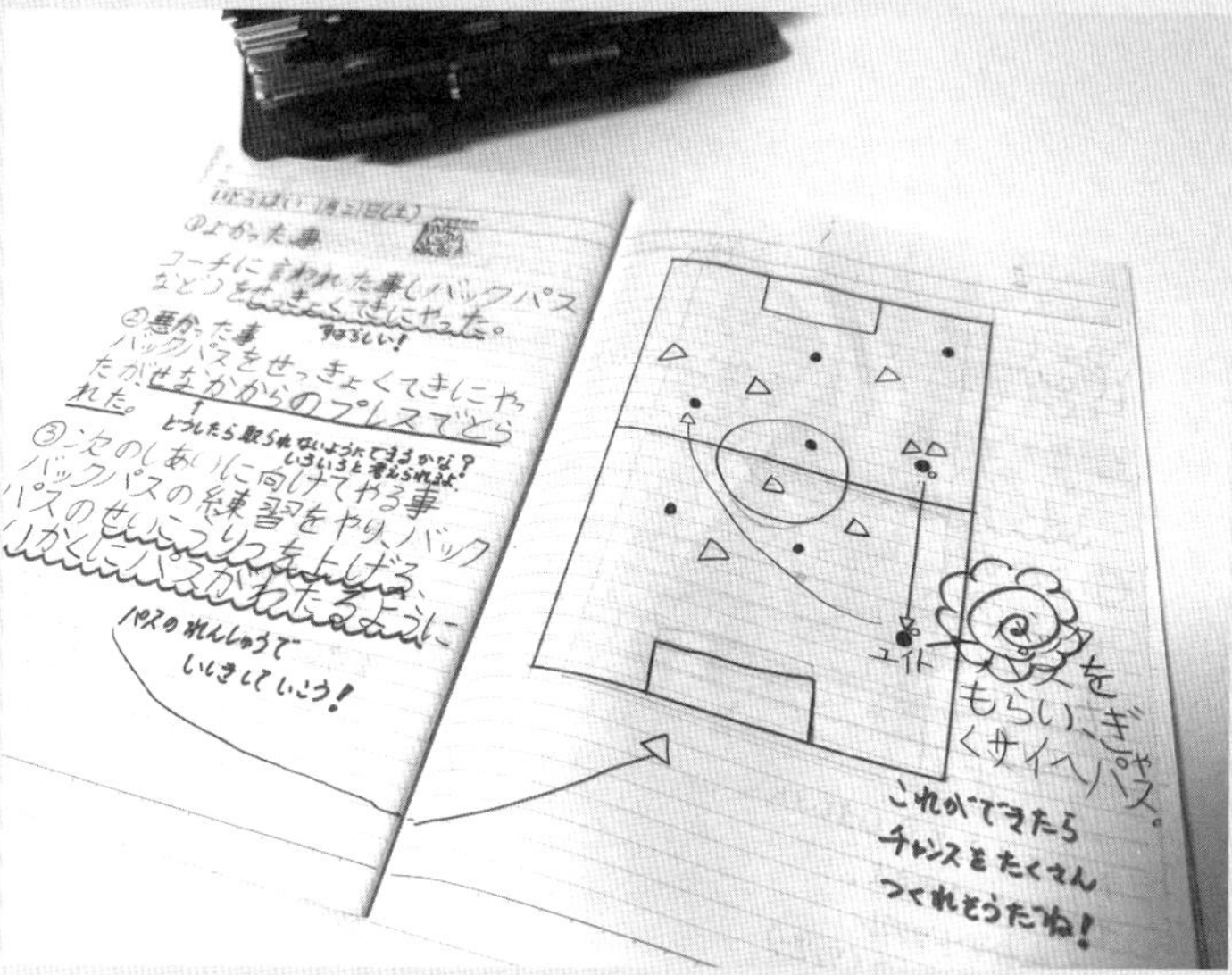

子供の主体性と考える力を養うことが目的だが、
モチベーションアップにも結びついている。

第一章

「アイディア」を生み出す

1 デキる人は「アイディアノート」で思考する

私はかつて、「結果を出す人は、どのようなメモのとり方をしているのか？」について、とことん研究したことがあります。

「常に仕事で結果を残すような人は、どのようなメモのとり方や活用の仕方をしているのだろうか？」

この1点にフォーカスして研究を重ねたわけです。

そして、とあるビジネス誌に書かれていた1つの記事が、当時の私に大きなヒントを与えてくれました。その記事に書かれていたのは、次のような説明です。

「年収1000万円までの人は時間管理をおこない、それ以上の人はアイディアノートを持つ」

この一文を見たとき、当時の私が「なるほど」と思わず唸ったのを今でもはっきりと覚えています。

多くの人は、「メモのとり方」や「ノートの書き方」「時間の使い方」といった仕事術系のテクニック論に目がいきがちですが、ある一定レベル（この記事でいうところの「年収1000万円」）以上の人は、テクニック論ではないところで勝負しているという内容でした。

つまり、**行動の効率性や効果性を求めるという視点ではなく、思考やアイディア発想といった「知的生産」で戦っている**わけです。

そのことに気づいた私が、その後「では、どのようにアイディアノートを活用すればいいのか？」について、研究し始めたというのは自然な流れでした。

この章では、私が研究と実践を重ねてきた、知的生産に結びつける「思考するための書く習慣」について言及していきたいと思います。

2 アイディア発想の「原理原則」

アイディア発想というと、机に向かって頭をかきむしりながら考えることで「ひらめき」を得るイメージがありますが、実際はまったくそんなことはなく、それ相応の手順というものが存在します。

お茶の水女子大学の名誉教授でもあった外山滋比古《とやましげひこ》氏は、著書『アイディアのレッスン』（ちくま文庫）のなかで、**「アイディアづくりは酒造りと同じ」**と紹介しています。

具体的には、アルコールでないものを材料にして、発酵によってアルコールにするプロセスがアイディアの生成に通じるというものです。

つまり、**アイディアというものは、最初から使える形となって発想されるものではなく、いくつかの工程を経てアイディアと呼べる形になる**のです。

読者のなかには、「私は物事をクリエイティブに考えることが苦手」とか「自分には、ゼロから何かを発案するのは難しい」と考える人もいるでしょう。

しかし、アイディアをつくり出すこと自体は「技術」であり、特別な才能が必要なわけではありません。

技術であるということは、**誰でも後天的に訓練によって習得可能**ということです。

技術の習得に向けて大切なことは、第一に「原理原則」を知ることであり、その次に「方法論」を知ることとなります。

では、アイディア発想の原理原則とは何なのか？

それは、**アイディアとはネタとなる「アイディアの断片」同士の結合**だということ。

このことは、多くのアイディア発想系の書籍でも触れられていて、私もその通りだと考えています。

なかでも、アメリカの実業家ジェームス・W・ヤング氏による『アイデアのつくり方』(CCCメディアハウス)が古典的名著として有名で、私が初めて同書を一読したときは、「自分の考えと同じことが書かれている」と驚いたのを今でも覚えています。

アイディアの断片同士の結合とはどういうことなのか、具体例を挙げてみましょう。

例えば、「よく着くが簡単に剥がせる接着剤」という要素と、「メモ用紙」という要素を組み合わせて誕生したのがポストイットに代表される付箋です。

また、アップルのiPhoneは、「音楽プレーヤー」と「携帯電話」の組み合わせから発案されたといわれています。

つまり、アイディアができるプロセスとしては、はじめに「アイディアの断片」とも呼べるネタが必要となり、その断片同士が結合して1つのアイディアとして誕

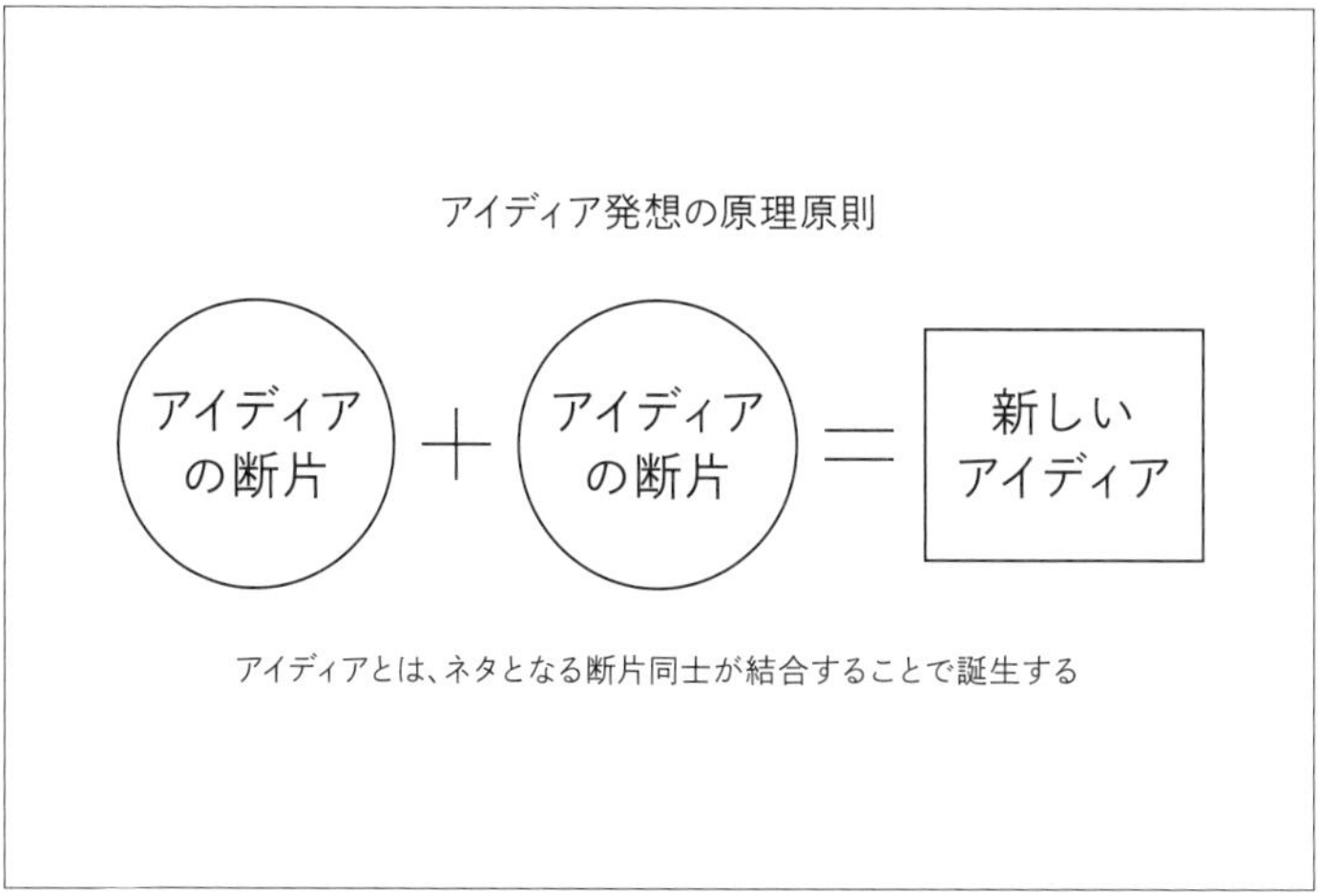
アイディア発想の原理原則
アイディアの断片
＋
アイディアの断片
＝
新しいアイディア
アイディアとは、ネタとなる断片同士が結合することで誕生する

生するという順序を踏みます。

そして、その「アイディアの断片」は、突拍子もないときに思いついたり、降ってきたりするのがほとんどで、机の前で頭をかきむしりながら考えて発想できるものではないのです。

まずはネタとなる「アイディアの断片」を日々の活動のなかでストックしておき、後から断片同士を結合させるという調理工程を踏むことによって、ようやく使えるアイディアが誕生するのです。

これが、アイディア発想の原理原則となります。

3 アイディア発想の「3ステップ」

アイディアとは、ネタとなる断片同士の結合によって誕生すると紹介しましたが、その原理原則を踏まえた上で、今度はアイディア発想の方法論について触れたいと思います。

具体的には、次に挙げる3つのステップがアイディア発想の工程となります。

Step1　メモで「アイディアの断片」をストックする
Step2　メモに書きためた「アイディアの断片」を発酵させる
Step3　メモをノートに転記しながら思考する

以降で、詳しく解説を進めます。

Step1―「アイディアの断片」をストックする

「アイディアの断片」とは、まだアイディアと呼べるほど画期的なものではなく、使える状態にもない気づきや思いつき、考えのことを指します。

基本的には、**アイディアの断片とは「気づき」**ととらえればいいでしょう。

日常のなかで、アイディアになる前の材料としてさまざまな「気づき」を得て、メモ帳やノートに書きためていく。これが最初のステップです。

Step2―「アイディアの断片」を発酵させる

次に、書きためた「アイディアの断片」から一度離れます。

こう聞くと意外に思われるかもしれませんが、不思議なことに一度情報から離れることによって、後から突然インスピレーションを得やすくなるのです。**問題からあえて離れて一度温める時間をとることで、まったく新しい創造的な解決策（アイディア）を着想しやすくする。**このことを「孵化《ふか》効果」と呼びますが、まさにそれに該当します。

先のパートで、「アイディアづくりとは酒造り」と紹介していましたが、まさにアルコール発酵させる工程そのものです。

Step3ーメモをノートに転記しながら思考する

ここまでにストックされた「アイディアの断片」を使って、思考する作業に入るのが最後のステップです。

具体的には、「アイディアの断片」として書きためたメモを、清書用のノートに転記していきます。いわば雑多に集まったメモを整理整頓する作業です。

このステップ3については、第二章で詳しく解説を進めていきます。

さて、ここで紹介した3つのステップからいえることとは、何の変哲もない断片的なアイディアを、本当に使えるものにするには一朝一夕には成し得ないということです。

だからこそ「メモとして残す」「ノートにまとめる」といった、一見非効率とも思えるプロセスを踏む必要があります。

私は、この3ステップを定期的に踏むことによって、日常のなかで使える小さなアイディアから、仕事で大きな成果に結びつくようなビッグアイディアに至るまで、大小さまざまなアイディア発想に結びつけてきました。

ここまでの話で、アイディア発想とは、斬新なひらめきが突然天から降ってくるのではなく、原理原則と方法論によって成り立つ「技術」だということをご理解いただけたのではないでしょうか。

4 アイディアを生み出すメモ&ノート術

1 — ひらめきやすいタイミングを知る

よいアイディアや考えは、机に向かっているときに思いつくものとは限りません。

では、どんなときに、どういうところでいい考えが浮かびやすいのでしょうか？

もちろん、これは人によってさまざまだとは思いますが、それがあらかじめわかっていれば、ひらめきや発想をすかさずメモとして残し、その後の自分自身の活動に活かすことができそうです。

中国の王朝・北宋の政治家で文学者でもあった欧陽脩《おうようしゅう》（1007〜1072年）という人物は、よい考えの生まれやすい状況として「三上」という言葉を唱えていました。

三上とは、馬上、枕上《ちんじょう》、厠上《しじょう》を指します。

馬上は、現代なら通勤電車での移動中や、車の運転中ということになります。実際、私も車の運転中に考えが浮かぶことが多いため、運転席には大きめのメモ帳とサインペンが置いてあります。もちろん、運転しながら書く行為は危険なのでおこないませんが、信号待ちの時間や、目的地に到着した瞬間にメモを走らせることは多々あります。

かつての私は、スマートフォンのアプリでボイスメモを残していましたが、サッとすぐさまメモを走らせる上ではアナログに軍配が上がり、今では手書きでおこなっています。

ちなみに、車内で書き記したメモは、その都度、破いて愛用の手帳に挟み込み、「アイディアの断片」として仮保存しています。

著者が車の運転席に置いているメモ帳は、RHODIAの16番を愛用。ふと思いついたことを走り書きでメモをとる。ちなみに、運転中にひらめきを得やすいのは走り慣れた道に限定され、初めての場所を目指す場合は該当しない。

人によっては、夜眠りにつく前や起床直後に考えが浮かぶという方もいることでしょう。それがまさに「枕上」ということになります。

睡眠には2種類あるのをご存知な方は多いと思います。1つは、体は休息しているけれども、脳は働いているレム睡眠。そして、もう1つが、脳が完全に休息するノン・レム睡眠です。

レム睡眠では、脳が活発に働き、記憶の整理や定着がおこなわれますが、睡眠時間の後半になるにつれてレム睡眠の頻度が高くなるといわれています。

それもあってか、朝、目を覚ましてから起き上がるまでの時間に、よいアイディアが浮かびやすいという方は少なくないようです。

ドイツの学者であるガウスやヘルムホルツが、朝、起床直後にすばらしい発見を思いつくことが多かったと伝えられているのが、その裏づけといえそうです。

朝、トイレに新聞を持ち込んで丹念に読み込むという姿は、今となってはどこか懐かしいものとなりつつあります。しかし、今もトイレのなかで読み物をする人は多いのではないでしょうか。
私もそのうちの一人で、周囲から妨害されることのない集中できる環境であることから、どこかその安心感が頭のなかを自由にしてくれているように思います。これが、欧陽脩がいうところの「厠上」となります。

また、ここで紹介した「三上」以外でいうと、散歩中によい考えが浮かぶという人が意外と多いように思います。

現に、ヨーロッパの思想家には散歩学派が多いそうです。

恐らく、適度に身体を動かしている状態が脳を刺激し、さらには、散歩という一定のリズムで単調な動作を繰り返す行為が、思考をめぐらせるのにちょうどいいのでしょう。

もう1つ、私がひらめきを得やすいシチュエーションとして、入浴中があります。入浴中やシャワーを浴びているときに、「そうだ！」とひらめいて、浴室から出るなり、早々に書斎へと移動してメモを走らせることが少なくありません。

ギリシャの物理学者アルキメデスが「比重の原理」を発見したのは、入浴中だったと伝えられているのも納得できます。

いずれにせよ、アイディアの断片は、いつ、どこで、突然飛び出してくるのかがわかりません。そして、あっという間にどこかへと消えてしまいます。

そのため、自分自身の傾向として、「どんなときに、どういうところでよい考えが浮かびやすいのか」を把握しておくことは、メモ術を考える上できわめて重要となってきます。

あなたが、ひらめきを得やすいタイミングはどんなときでしょうか？

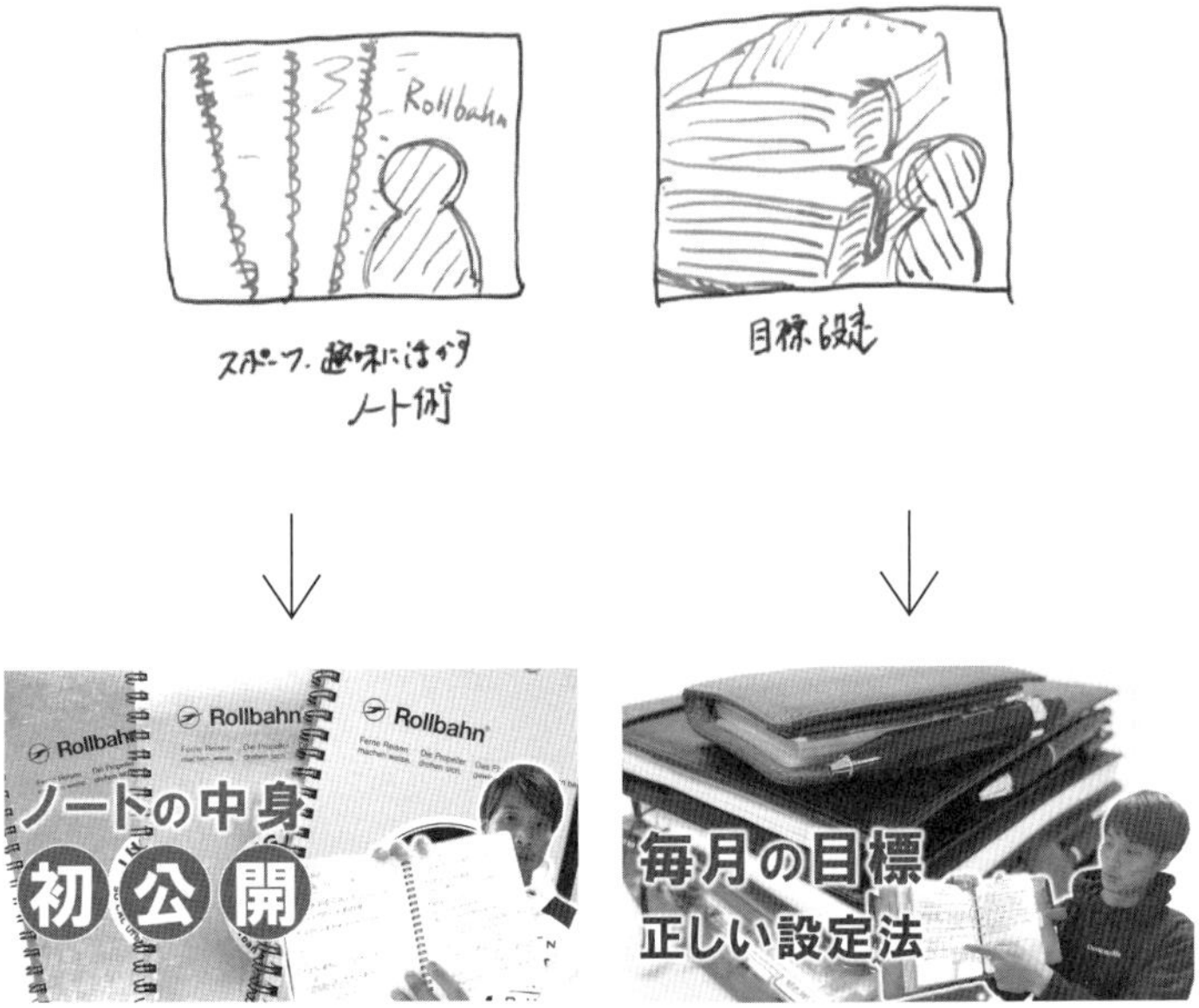

上段は、著者が浴室でひらめきを得て、入浴後そのままノートに殴り書きしたイラストのメモ。
下段は、そのメモを元に、画像制作担当によってつくられたYouTube用のサムネイル画像。

2 ─ 「アイディアの断片」の書きとめ方

では、どのように「アイディアの断片」をメモとして書きとめていけばいいのでしょうか?

アイディアというと、「いかにインスピレーションやひらめきを得るか」が大事に思うかもしれません。しかし、ここでいう「アイディアの断片」とは、そのようなものではありません。

基本的には、**「アイディアの断片＝気づき」**ととらえるといいでしょう。もっと具体的にいうと、自分が気づいたことや思ったこと、感じたことです。

大げさにとらえる必要はなく、ただ単に、それらをメモするだけでいいのです。

大切なことは、これらを言語化して書き残しておくこと。

その書き残されたメモが「アイディアの断片」であり、それらが発酵期間と思考作業を経て、後に「使えるアイディア」へと生まれ変わるのです。

では、気づいたことや思ったことをメモするとは、どんなイメージなのでしょうか？　私が実際にメモ帳に書き込んでいた内容で、具体例を挙げてみます。

●雑誌記事で「希少性を高めて、顧客層の購買意欲をそそっている」と書かれていた

↓【メモの内容】あえて「限定モデル」という売り方はありか？

●新聞内のインタビュー記事で「ネットでも靴は買える時代。それでも店に来て買いたいと思われるような接客を心がけたい」と書かれていた

↓【メモの内容】Webでもセミナー受講できるが、それでも会場で受講したいと思ってもらうには？

●とあるユーチューバーの動画を観ていて
↓【メモの内容】動画では、話の「間」は少ない方が○

このような感じですが、あくまで自分用のメモなので、他人が見て内容がわかるものである必要はありません。

前述のように、「誰しもが気づいていないようなひらめき」みたいなものが書かれるわけではなく、自分が思ったことや感じたこと、気づきをメモとして書きとめます。

たとえ**突飛なものや、不完全なものに思えても、一切気にとめないで書き残すことがポイント**です。

このような「メモする習慣」を身につけると、自分が目にするものや耳にするものに対してアンテナが立つようになり、情報感度が高まります。

情報感度が高まるゆえに、より一層「アイディアの断片」がたまりやすくなるという好循環につながるのです。

また、副次的な効果ではありますが、このように気づきをメモする習慣をつけると、言語力やコメント力が向上します。

例えば、会議や商談といった場でのコミュニケーションは当然のこと、レポートや提案書などの資料作成時など、自分が伝えたいことを言葉にする表現力がスキルとして養われることになります。

本書をここまで読まれた方は、今日以降、気づいたことや感じたことを日常的にメモすることにチャレンジしてみてください。

3 — メモを小さなノートに書きためる

世の中には実にさまざまなタイプのノートがあります。

そこで本パートでは、いったいどんなノートを選べばいいのか、使用シーンとともに考えていきます。

「アイディアの断片をストックする」という観点からすれば、常に携帯できるサイズの大きさで、スーツやカバンからすぐに取り出せるものがいいでしょう。

具体的には前述のサッカーの森保監督が使っているようなA6やB6サイズがお勧めです。

私の場合は、携帯性だけでなく、机がなくても書き込みやすいという点から、表紙に厚みのあるM5サイズ（別名：マイクロ・ファイブ）のシステム手帳を愛用しています。

また、本革製のシステム手帳は、使い込むほどに自分色へと変わっていく経年変化も楽しめることから特にお勧めです。

序章でも触れた通り、私はプライベートでは少年サッカーチームのコーチもしており、その際は森保監督にならってコクヨのノート（A6サイズ）をメモ帳として使用しています。その日の練習メニューや、試合や練習を通じて気づいたことなどをメモするのに活用していますが、トレーニングウエアのポケットに入れても邪魔にならないサイズ感であること、サッと取り出しやすいことを最優先にこのノートを選んでいます。

一方で、デスクワークが多く、ノートをいつも机の上に置いておけるという人もいるでしょう。

そのような方であれば、**A5**サイズ、もしくは一番よく見かける**B5**サイズのノートも選択肢としてありだと思います。

ノートを選ぶ際の重要なポイントは、**何かメモしたいと思ったときにノートを取り出すのが億劫にならないサイズを選ぶ**ことです。ここが面倒になると、メモをとる習慣がなかなか身につきません。

自分自身のライフスタイルを考慮して、「手軽に取り出す」という視点を重視してノートを選ぶといいでしょう。

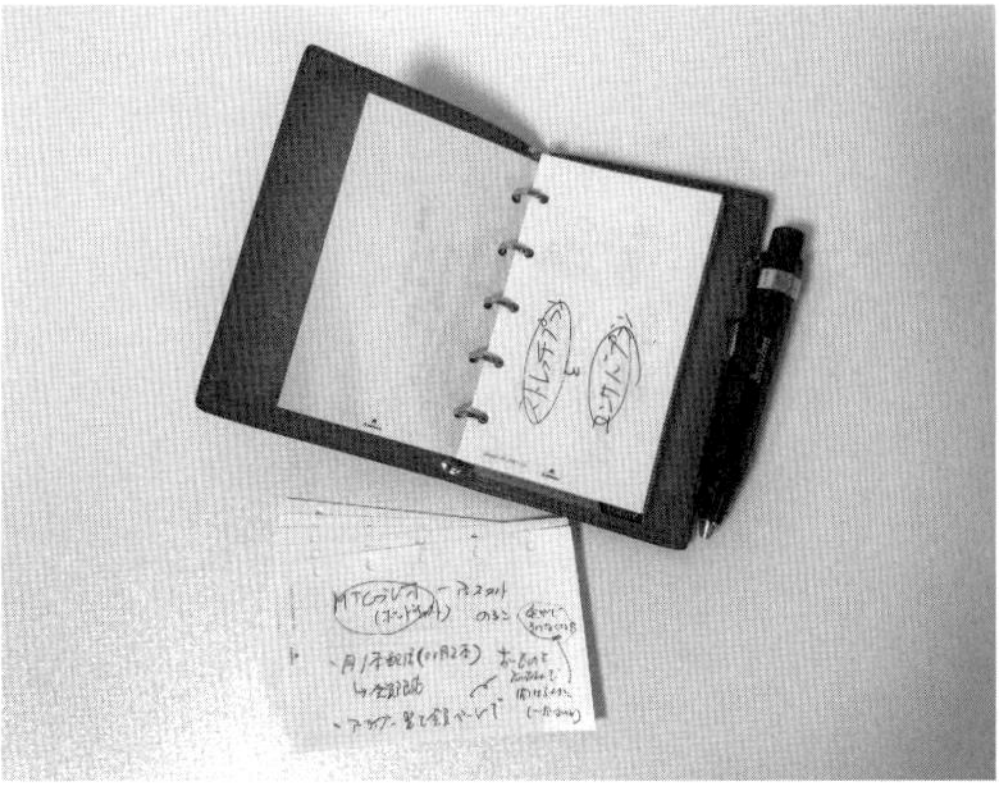

著者がメモ帳として愛用している M5 サイズ（マイクロ・ファイブ）のシステム手帳。ちょっとしたことをメモするのに適したサイズ感が気に入っている。

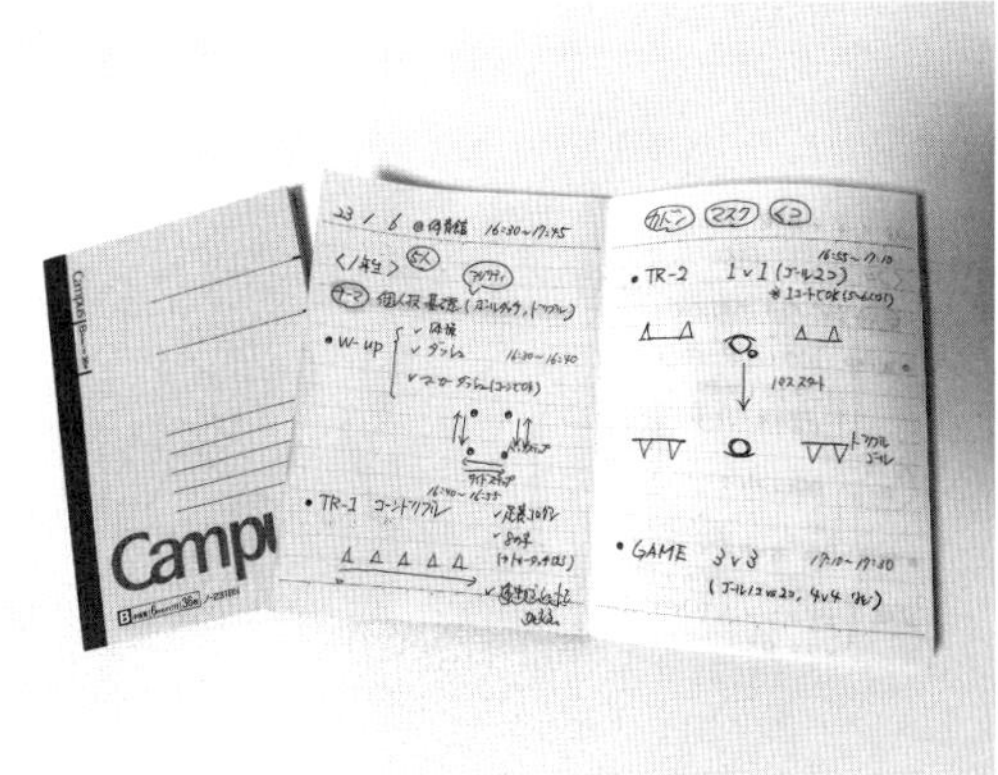

少年サッカーチームでは、Campus ノート（A6 サイズ）を愛用。

4 ― ノートに縛られず、とにかく書きとめる

あなたにはこんな経験がないでしょうか?

あるとき、「そうか!」とよいひらめきを得たのに、特に何にも書き記すことなく過ごしたら、後々すでに忘れ去っているというケース。

私も同じような経験が何度もあります。

きっと、思いついたときは忘れない自信があるのでしょう。

それもあってか、多くの人が「些細なメモ」を残しません。

しかし、そんな「ちょっとしたひらめき」が、後々大きなアイディアへと育っていくことは少なくありません。

ドイツの心理学者、ヘルマン・エビングハウスが発見した「忘却曲線」が示している通り、人は何かを聞いたり、覚えたりしても、1時間後には半数近く、1日後

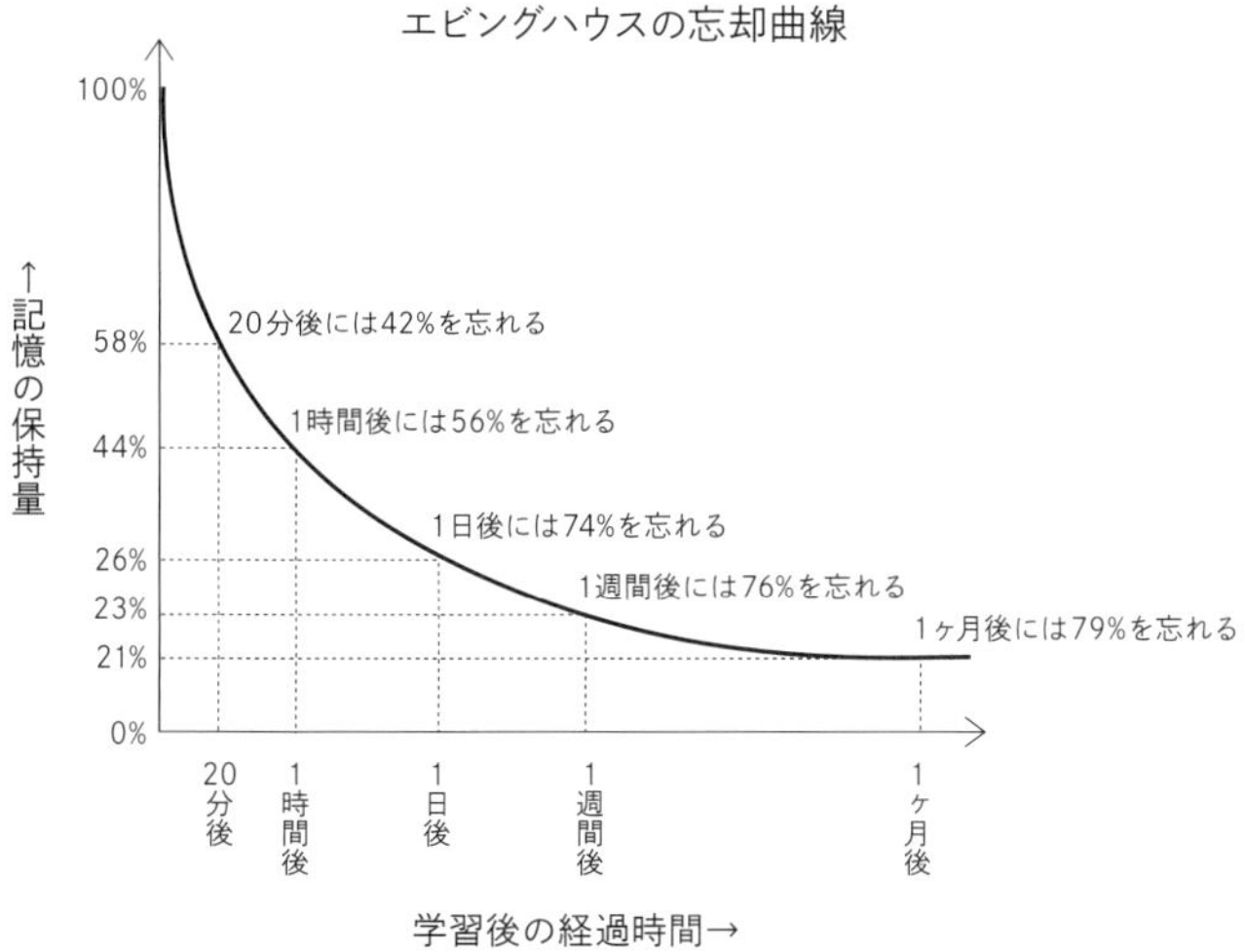

メモは「memorandum」(覚え書き)の略で、語源は「memory」(記憶)

には記憶の7割以上を忘れてしまうといわれています(上図)。

このことからも、何かにつけてメモをとる習慣をつけることの重要性を理解することができます。

話を戻しますが、私の場合、愛用しているA5サイズのシステム手帳か、もしくは、メモ帳代わりのM5手帳にメモを書き記します。

ただ、場所や状況によっては、手帳やメモ帳が手元にない場合もあります。

そんなときは、飲食店の紙ナプキン、割り箸袋、レシートの裏、本のカバーなど、文字を書けるものには何にでもメモを残してしまいます。「とにかく、書けるモノに書きとめる」、そんな姿勢です。

また、手持ちのスマートフォンのメモ機能に入力したり、メモの内容を打ち込んだメールを自分宛に送信したりするケースもあります。

ただし、私の経験上、デジタル端末の場合は「後から見返す」という行為につながるケースがなかなかないため、極力アナログの手書きで書きとめるようにしています。

いずれにせよ、ちょっとしたひらめきを「アイディアの断片」として残すことが、後に大きなアイディアへと育てる知的生産の第一歩となります。

日常のなかで突然降ってくる「アイディアの断片」をストックしていくには、ノートやメモ帳など、書くものや書き方にとらわれない視点が大切になってきます。

本のカバーに書き込まれたメモ。
読書中にアイディアが湧いてきた場合は、そのまま書き殴るようにメモを走らせる場合もある。

5 ― 新聞スクラップ活用法

名探偵シャーロック・ホームズの物語のなかでは、しばしば新聞の切り抜きを貼り込んだスクラップ・ブックが描写として登場し、その情報を真相解明のヒントとしています。

そんなシャーロック・ホームズを真似してではありませんが、かくいう私も、新聞をスクラップしています。第二章で紹介するルーズリーフが、スクラップ・ブックとしての役割を担っています。

新聞を通読して、「これは！」という記事があった際にはページごと破いて後からじっくりその記事を読み込みます。

これは残しておきたいと判断した記事については、そのままスクラップとしてカッターで切り抜いてしまい、メモ類と同様に「アイディアの断片」としてストックしていきます。

不思議なことに新聞からアイディアのヒントを得ることは意外なほど多く、この新聞スクラップが元となって、大きな企画やプロジェクトへと発展したケースを、これまでに何度も経験してきました。

ジャーナリストの池上彰氏も新聞をスクラップしているそうで、著書『池上彰の新聞勉強術』（文春文庫）のなかで、**「まったく関係ない記事同士が結びついて、いままでにない発想が生まれることがありました。スクラップは、〝新たな発見〟の喜びを与えてくれるのです」**と書かれています。

これはまさに、本書で紹介した「アイディアの断片」同士が結合することによって新しいアイディアが生まれるという原理原則に基づいた内容でしょう。

ちなみに、そんな池上彰氏も、新聞スクラップをまとめるのにルーズリーフを活用しているそうです。

さて、そんな新聞スクラップの活用。メモをルーズリーフに転記するときと同様、基本的には見た目のきれいさにこだわることなく自由にペタペタと貼りつけていきますが、1つだけルールがあります。

それは、新聞から切り抜いたスクラップを、**必ず用紙1枚につき1記事とする**ことです。

こうすることで、テーマやジャンルごとに分類しやすくなるだけでなく、後からその分類を変えたくなった際にも自由に移動させることができるためです。

また、用紙1枚につき1記事とすると、スクラップを貼りつけたページの裏面が余白となります。一見もったいなく感じてしまうかもしれませんが、その記事に触発されて生じた気づきを書き込んだりする際にちょうどいいのです。

母艦ノートであるルーズリーフをパラパラとめくりながら、折に触れてスクラップを目にすることで、後になって新たな気づきや着想が湧いてくるケースが少なくありません。その際は、すかさずその気づきをメモとして追記していきます。

このような単純作業を日々繰り返していくなかで、蓄積された「アイディアの断片」同士が結合するタイミングが訪れ、やがて使えるアイディアとして育っていくのです。まさに、折に触れて見返す行為は、知的生産の作業といえます。

6 新聞スクラップも「紙」がいい理由

デジタル化が進んだ近年では、新聞を電子版で読むという方も多いかと思います。ましてや、電子版であれば、気になった記事の切り抜きも、その後の保存も効率的なため、「読むのは電子版、スクラップ管理もデジタル」にした方がいいのではと疑問を持たれた読者もいらっしゃるのではないでしょうか。

しかし、私は新聞についてもアナログ（紙）派で、とりわけスクラップを知的生産に活かしていくのであれば、絶対的にアナログに軍配が上がると考えています。

理由の1つは、**可読性の高さ**です。

新聞を机や床一面に広げて読むことで、紙面全体を「読む」ではなく「見る」という感覚で素早くチェックできます。些細なことのようですが、電子版ではできない紙の新聞ならではの、きわめて大きな芸当だと思います。

新聞スクラップは、ルーズリーフ1枚につき1記事とするのがポイント。
余白には気づきを書き込むなどして活用する。

私の尊敬する経営者の一人であり、先述の最も影響を受けた本『一冊の手帳で夢は必ずかなう』（かんき出版）の著者でもあるGMOインターネットの熊谷正寿氏も、新聞は毎朝、四紙を床に広げながらチェックすると同氏の書籍のなかで書かれていました。ＩＴ業界最大手の社長ですら新聞は紙なのです。

続いて2つめの理由が、**スクラップ用紙をパラパラ**

とめくる機会を得られること。

単純に「保管」や「効率」だけを考えたらデジタルが勝りますが、アイディアを発想させることを目的とするのであれば紙が向いています。

これは、パラパラとめくりながら折に触れて確認することができるためです。一見非効率に感じるこうした行為こそが、アイディア発想や考え事を進める上では非常に重要となります。むしろ、この行為自体が知的生産作業といっても過言ではないでしょう。

一方デジタルの欠点は、どうしても「検索する」という、自ら能動的に探しに行く行為がないと、過去に保存したスクラップにたどり着けない点にあります。

以上のような理由から、新聞スクラップのような知的生産作業においては、アナログ（紙）を活用することを強くお勧めします。

5 「気づく力」を高める方法

ここまで、「自分が思ったことや感じたこと、気づきをメモとして書きとめる」と解説しましたが、日常のなかで気づきを得ること自体が難しく感じる方もいるかもしれません。

そのような人はいざメモ帳を持ち歩いても、「なかなか書くことがない」となってしまうでしょう。

実は「気づく力」を高めて情報感度を鋭くするには、事前の「仕込み作業」が必要となります。

その仕込み作業が、**「課題設定」**です。

自分自身の短期あるいは中長期的な課題を設定することで、「課題意識」という名のアンテナを立てることができます。

あらかじめそのアンテナが立っているからこそ、日常のなかで些細なことからも「あっ！」という大小さまざまな気づきを得られるわけです。
つまり、**「気づく力」とは課題意識である**といえます。

課題というと、どこか「克服しなければいけないもの」というように、どちらかといえばネガティブな印象やプレッシャーを持つ方もいるかもしれませんが、そうではなく、**自分の目標達成のためにやるべきテーマ**というポジティブな攻めの姿勢によるものです。

このことから、私は毎朝自分自身の課題について熟考する時間を設けるようにしています。

私の愛用するシステム手帳は、束ねられているリフィル（用紙）がすべて自作によるものなのですが、毎日のスケジュールを記入するページには、「今の課題とやるべきこと」という項目が設けられています。

毎朝、その日1日の計画を立てる際に、文字通り**「今の自分の課題は何か？」「今**

やるべき重要なことは何か？」について自問自答しながらペンを走らせるのです。

課題は3カ月から6カ月程度の短期的な視点で考える場合もあれば、1年以上を見据えた中長期視点の場合もあります。

どの視点で考えるかは人によってマチマチでいいと思いますが、私の場合は短期的な視点で常時3～5個程度の課題を設定するケースが多いです。

自分の抱えている課題は、1日や2日でそう簡単に変わるものではありません。したがって、手帳のこの欄には、ほぼ毎日同じことを書くことになります。

ではなぜ、わざわざそのようなことをするのでしょうか？

理由はシンプルで、たった1日ですら忘れてしまうためです。

これまで、私が多くの方とコーチングで接してきた経験からすると、**自分の課題を問われて即答できる人は思いのほか少ない**です。そして、考えに考えた自分の課題も、1日経つと忘れてしまうケースが大半です。「そういえば、何だったっけ？」という具合です（笑）。

毎日、目の前のやらなければならないことに忙殺されている私たち現代人にとっては、ごくごく自然なことだと思います。かくいう私も、その一人です。

だからこそ、毎朝1日の計画を立てる際に自分自身の課題を考え、書き記す時間を設けているのです。

では、課題を設けることが「気づく力」を高めることに、どのように作用するのか？

一例として私の場合を紹介します。

セミナー講師として駆け出して間もない頃、抱える課題の1つに、「人を惹きつけるプレゼンテーションスキルの習得」というものがありました。

その課題解消のためにと、当然のようにプレゼンテーションに関する書籍を読みあさりましたが、どうも机上の空論的でイマイチぴんとこない。

そうしたなか、「これかもしれない」と大きなヒントを得ることができたのは、たまたまテレビで見た落語からでした。

私は普段から落語を見る習慣はなく、どちらかといえば興味の対象でもありませんでした。
それでも、聴衆を魅了しながら流暢に話す落語家の方が目にとまったのは、私があらかじめ自分のなかで課題意識という名のアンテナを立てていたからです。

このように、**「自分の抱える課題を設定する」という事前の仕込み作業が、自分のなかでアンテナを立ててくれることによって、何てことのない日常のなかからヒントや気づきを得やすくすることができる**のです。

昔からよく「身だしなみは足もとから」といわれますが、定期的に靴を磨くなど普段から足もとの身だしなみに意識を向けている人は、他人の靴の汚れが意識せずともすぐ目につきます。同様に、「赤い車」が欲しいと思っていると、街中で赤い車がやたらと目につきます。
これらは「カラーバス効果」といい、科学的にも証明された理論なのです。

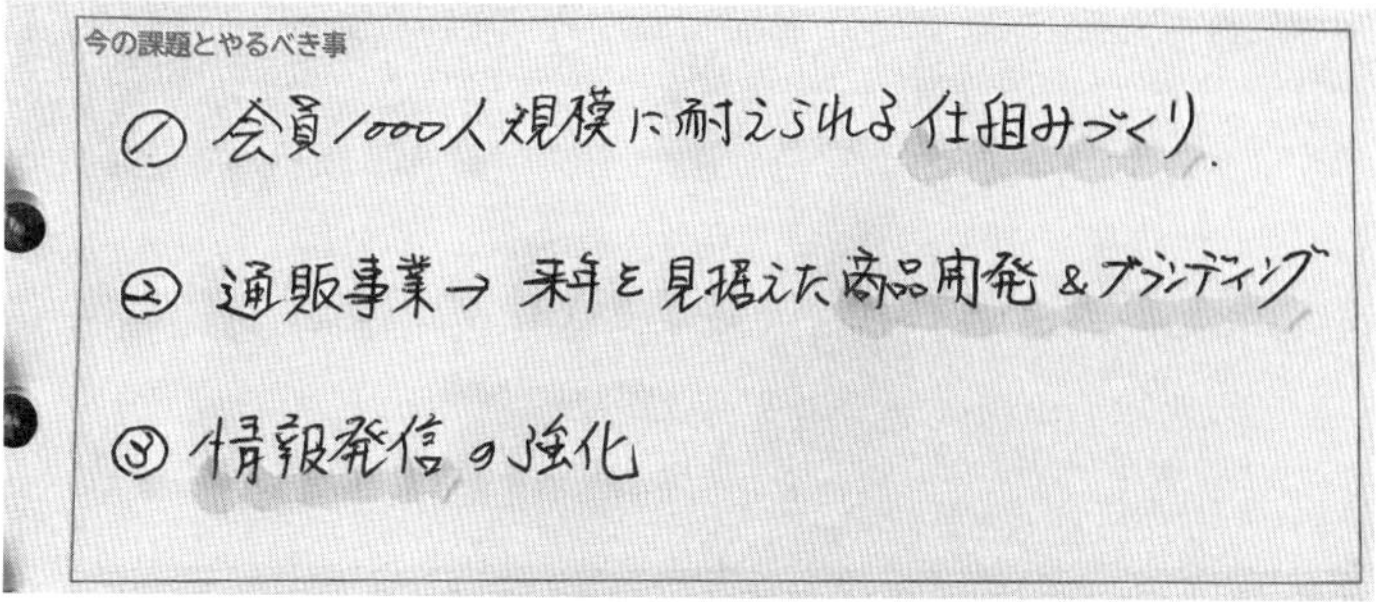
今の課題とやるべき事
①会員1000人規模に耐えられる仕組みづくり
②通販事業→来年を見据えた商品開発&ブランディング
③情報発信の強化

著者が愛用する手帳にある「今の課題」を記入する欄。

毎朝1日の計画を立てる際に、自分の抱えている課題を考えて書き込むことで、常にアンテナが立っている状態をつくり上げている。

「課題」の記載例

プライベート関連：

- □ 朝の時間の有効活用
- □ 体型維持のための生活習慣の確立
- □ 夫婦で無理なく家事を分担できる仕組みの検討

仕事関連：

- □ 部下のやる気を引き出すコーチングスキルの習得
- □ リモートでもリアルと変わらない会議の進行方法の確立
- □ 新商品の開発スピードUP

【ワーク】あなたの課題を書き出してみよう

次の質問について考え、そこで出た答えをヒントに課題設定してみましょう。

Q1　1年後の「理想の自分」を想像したときに、「直近3カ月でやるべきテーマ」は何ですか？

Q2　5年後の自分が「今の自分」にアドバイスをするとしたら、どんな助言や忠告をしそうですか？

Q3　もし、あなたの憧れの人に相談したら、どんなアドバイスをもらえそうですか？

第二章

「思考」を深める

1 書きためたメモをノートに転記する

アイディアは最初から使える形でどこからか降ってくるのではなく、3つのステップを経てアイディアと呼べる形へと育っていくことを解説しました。

その最後のステップが、前章で紹介した「メモをノートに転記しながら思考する」になります。

ところで、日常のなかで得られた気づきをメモに残す行為は、あくまで手段でしかありません。

最終的には、アイディアという名の果実を実らせて、**知的生産に活かすことが目的**です。

そのための次なる工程が、ノートへの転記作業ということです。

具体的には、「アイディアの断片」として書きためたメモを、清書用のノートに転記していきます。いわば雑多に集まったメモを整理整頓する作業です。

清書というと「きれいに書き写す行為」ととらえてしまいそうですが、それ自体が目的ではないため、中身のきれいさは気にしません。

どちらかというと、ノートに転記しながら「物思いにふける」ことが重要です。したがって、**「ノートを使って考え事をする」**という表現の方が適切でしょう。

清書用のノートに転記しながら思考していくと、

「あ、これはあれと一緒に組み合わせられるかもしれない」

「あそこで、これを活かせるかもしれない」

「あの課題を解決するのに、このヒントを活かせるかもしれない」

といったように、さまざまな内容で点在していたメモたちが、点と点から線へと結びついていきます。それがまさに、アイディアというわけです。

この転記作業の段階で、「清書するまでもない」と判断してゴミ箱行きとなるメモ類も当然存在します。感覚としては、書きとめられていたメモ類が清書用ノートに転記されることで3分の1程度にまで縮小されるイメージです。

そもそも清書すること自体、かなり面倒くさいことで、一見すると非効率的に感じられると思います。

しかし、この行為をコツコツと続けることによって、メモとして残していた「アイディアの断片」がどんどん整理されていくから不思議です。

私の尊敬する経営者の方が、このように言っていたのをよく覚えています。

「ビジネスで復習するなんていう人は、ほとんどいない」

この清書ノートへの転記作業は、まさにビジネスパーソンにとっての「復習」です。先の言葉の通り、仕事において復習する人なんてほとんどいないので、この行為を習慣化することで、とてつもない優位性を持つことができるのです。

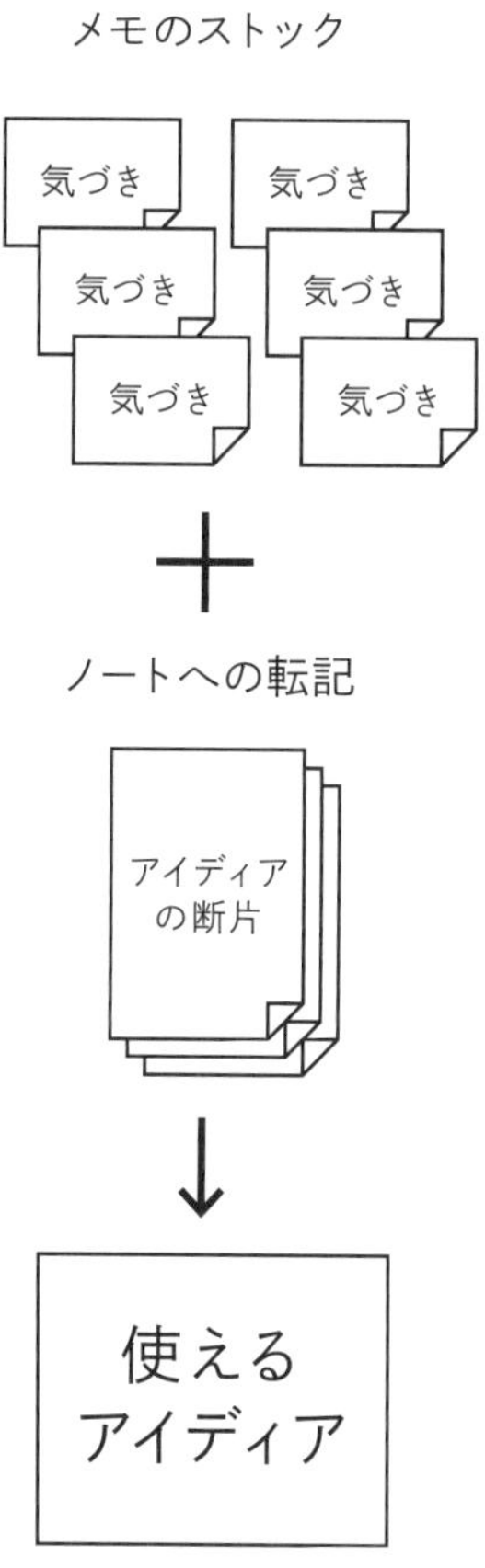

日々書きとめたメモを、ノートに転記するという行為を通じて、新しいアイディアを発想する。

2 ルーズリーフを母艦ノートにする

先のパートでは、清書用のノートを用意して、「アイディアの断片」として点在したメモ類を転記する優位性について紹介しました。

その際に、私が愛用しているのがルーズリーフです。

ルーズリーフは簡単に用紙を付け加えたり、順序を入れ替えたりできるため、本書で紹介しているようなメモやノートを活用した知的生産には、ルーズリーフが絶対的にお勧めです。

ルーズリーフを使えば、資料や新聞のスクラップもノートと一緒に管理できるだけでなく、見出しとなるタブでカテゴリーを分類して整理することもできるため、母艦ノートとして活用するのにはとても相性がいいと考えます。

綴じノート、つまり1冊のノートに時系列で何でも放り込む、ということをやると、どうしても情報はいつまで経っても断片のままとなってしまいがちです。

ルーズリーフの大きさについては、自分自身の好みや趣向で選ぶといいでしょう。私は、仕事で使用する書類なども束ねたりすることが多いため、A4サイズのルーズリーフを使用していますが、持ち運びの携帯性を重視したい場合はB5やA5サイズでもいいでしょう。

ちなみに、私は本革製のルーズリーフバインダーを愛用しています。そのため、革ならではの香りや経年変化も味わいながら、ノート時間を楽しむことができます。自分が思考をめぐらせるパートナーだからこそ、愛用するノートにはこだわりを持つようにすると気分も上がるのでお勧めです。

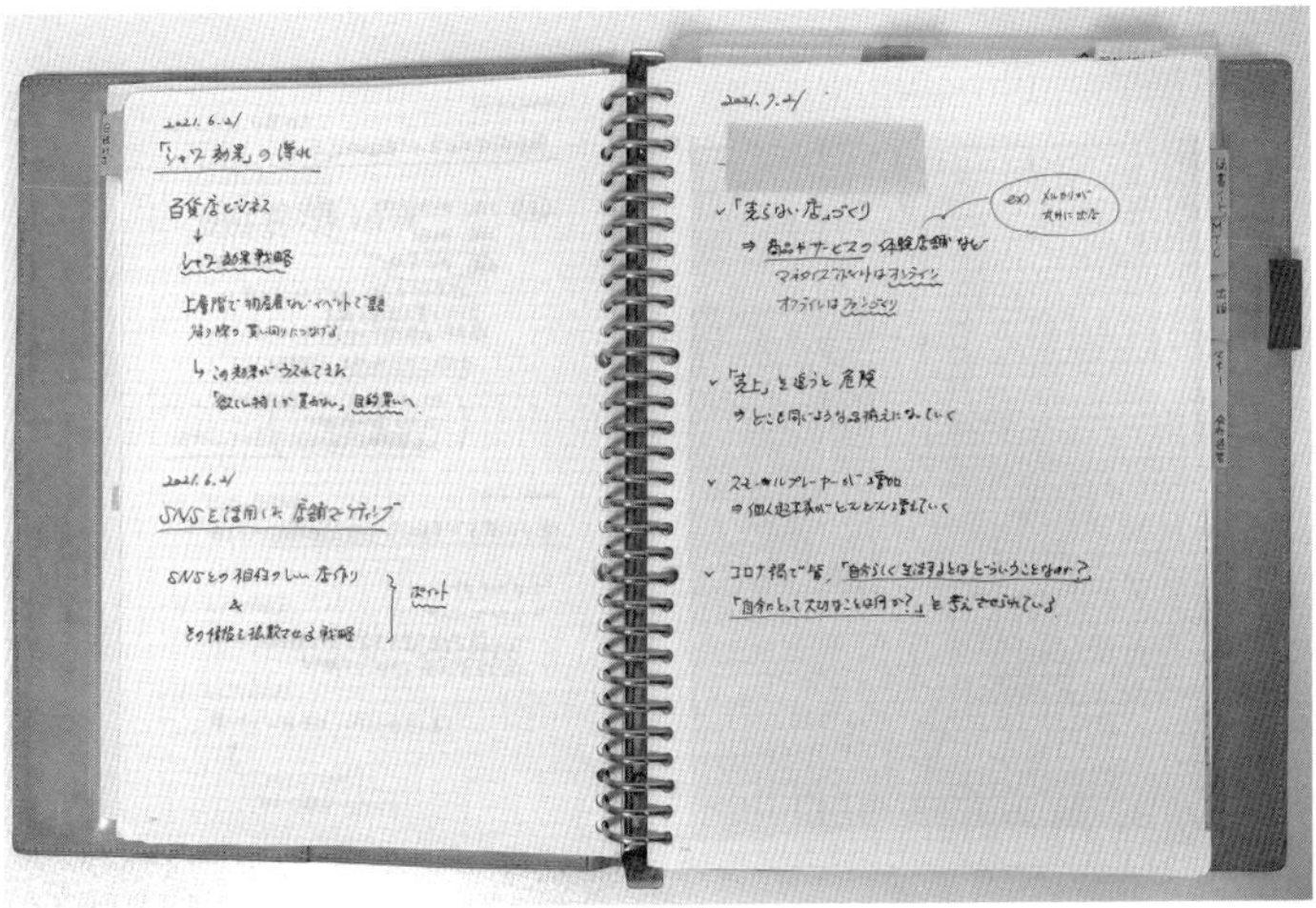

著者が母艦ノートとして愛用している本革製のルーズリーフ（A4サイズ）。
思考をめぐらせながら、この母艦ノートへとメモを転記していく作業がアイディア発想に欠かせないルーティンとなっている。

3 ノートの大きさは「思考のしやすさ」に比例する

ノートのサイズ選びについて、1点追加で記しておきたいことがあります。

それは、**ノートのサイズが大きいほど思考をめぐらせやすい**ということです。

例えば、ノートを広げて考え事する際に、A4サイズとA5サイズのいずれかを使うのであれば、前者の方が確実に思考をめぐらせるのに有利です。

なぜならば、書き込むスペースの制約に気をとられることなく、どんどん発想していくことができるためです。

私はマルマン社が出している「Mnemosyne（ニーモシネ）」というリングノートも使っていますが、愛用しているサイズはA3なので、かなり大きいです。

前のパートで紹介していた通り、通常はA4サイズのルーズリーフを愛用していますが、特定のテーマについて、とりあえずザッと書き殴って頭のなかを整理したいときに使っています。

A4サイズよりもさらに大きいので、書き込むスペースを気にすることなく、書き殴りながら思考をめぐらせることができます。

ただし、持ち運びには不便な大きさのため、基本的にはオフィスと自宅の書斎用として使っています。

このノートは大きさもさることながら、紙の厚みもほどよく、書き心地にも優れているため、お気に入りの万年筆を使って思考をめぐらせるのに非常に適していると感じています。

また、A3サイズの特大ノートを活用する際は、書式や書き方にとらわれることなく自由に発想していきたいため、マインドマップ®を使って書き込んでいくことが多いです。

マインドマップとは、トニー・ブザン氏が発案した思考の表現方法で、頭のなかで考えていることを脳内に近い形に書き出すことで、記憶の整理や発想をしやすくするものです。

1つのキーワードを中心に置き、そこから連想するイメージを放射状に広げ、線でつなげていきます。

一般的には思考の整理や、アイディア出しに使われますが、試験勉強や議事録、イベントの計画立てなどさまざまな場面で活用することが可能です。

最近では、多くのビジネスパーソンが利用するだけでなく、教育の現場でも活用されていることからご存知な方も多いことだと思います。

マインドマップを中心に書き込まれたA3用紙は、内容を吟味しながら母艦ノートであるルーズリーフに転記したり、必要に応じてノートから切り取り、リング穴を開けてからルーズリーフに挟み込んだりもします。

ルーズリーフがA4サイズだと、このA3用紙を折りたたんで納めることができる点もメリットです。

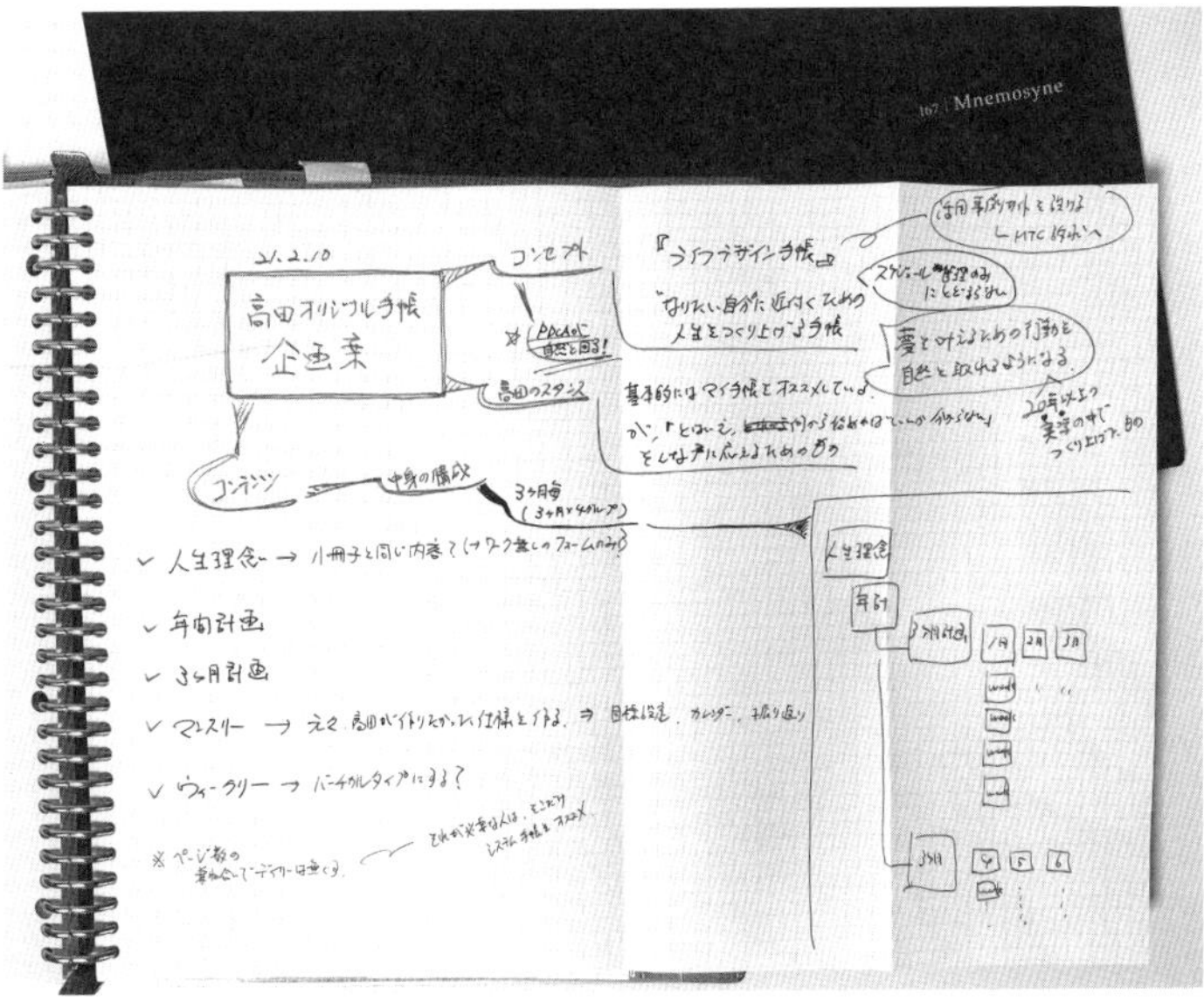

頭のなかを整理するために、A3リングノートに書き込まれたメモ。使えそうなものは、そのままノートから切り離し、母艦ノートのルーズリーフへと移動させる。ちなみに、このメモから誕生したのが拙著『夢をかなえるライフデザイン手帳』（明日香出版社）。

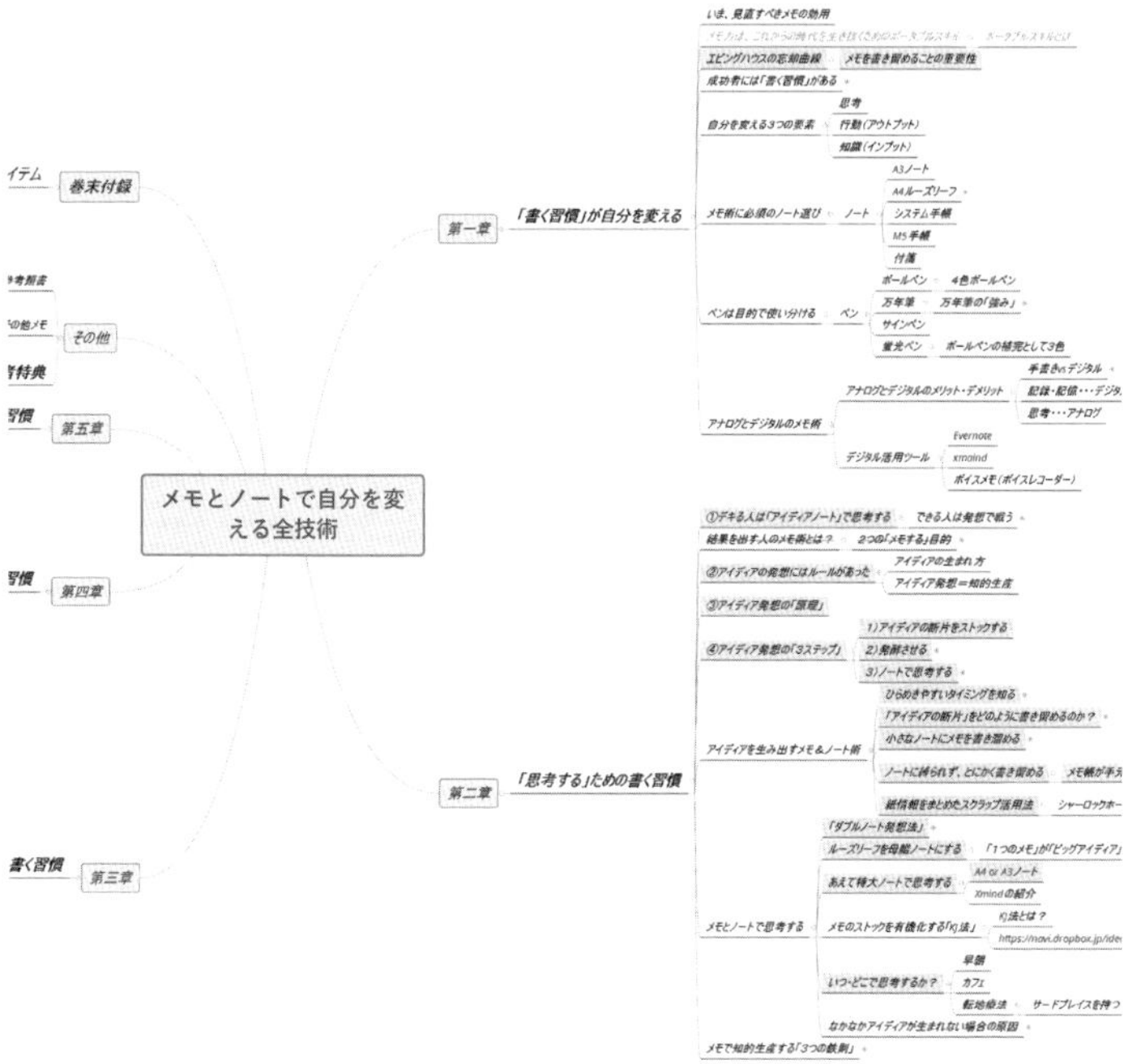

目的によっては、手書きのノートではなくデジタルツールを活用して思考をめぐらせることもある。著者は「Xmind」というツールを活用。上記は、本書の構想時に作成した企画の構成案。

4 ノートはどんどん加筆修正していく

母艦ノートの役目を果たすルーズリーフですが、これまで「清書」や「転記」といった表現を使ってきたため、一度書き込んだらそれで終わりととらえている方が多いかもしれません。

ここは非常に重要なポイントなのですが、**清書用としてメモが転記された母艦ノートは、そこから何度も加筆修正していきます。**

むしろ、本来の目的である「知的生産」という観点からすると、どんどん加筆修正を施していくべきです。

なぜなら、**後から情報を追加していくことで元の情報との間につながりが生まれ、それを繰り返していくうちに新しいアイディアへと昇華していくため**です。

つまり、「アイディアの断片」同士が結合して「新しいアイディア」になるという原則通りの展開がノートの紙面上でおこなわれるのです。

そのため、母艦ノートを活用する際には、**余白を十分に残して書き込んでいく**ことをお勧めします。厳密に割合を決める必要はありませんが、全体の3分の1ぐらいのイメージでしょうか。

また、加筆によって情報を追加していくことになるので、後からページを増やしたり移動させたりする必要が生じますが、こういった際にルーズリーフを活用する利点が発揮されます。

このような活用をしていくと、加筆だけでなく、もともと書き込んでいた内容を修正する必要性が生じたりもします。その際は、ノートが汚くなることを気にすることなく情報をアップデートするようにしましょう。

繰り返しますが、知的生産を目的としたノート活用に、きれいなノート作成は必要ないのです。

洋服に合う靴 提案

ホスピタリティー

フェミニンカフェ イオンモール大和店店長
大谷 良恵さん

ジーフットが運営する「フェミニンカフェイオンモール大和店」（神奈川県大和市）は全60店のうち常に売り上げがトップ5に入る。この重要店舗のかじ取りを任されているのが、店長の大谷良恵さん(33)だ。もともとイオン系のアパレル店の販売員だった。グループの人材交流でジーフットに出向し、接客スキルを買われてそのまま転籍になった。

大谷さんの接客の魅力は、洋服に合わせて靴を薦める提案力だ。今はやりの「ワイドパンツに合わせるなら、ショートブーツかカジュアルなスニーカーがいいと思います」といった具合に分かりやすく説明する。「こんな服を買ったんだけど、合う靴はありませんか」。こんな要望も少なくない。アパレルでの販売員の経験が生きていると実感する日々だ。

「インターネットでも靴は買える時代。それでも店に来て買いたいと思われるような接客を心がけたい」と大谷さん。靴の勉強よりも、むしろアパレルのトレンドをつかむことに注力しているという。

1984年生まれ。高校卒業後にイオン系のアパレル店、ブルーグラス（現コックス）でアルバイトを経験後、正社員に登用。14年にジーフットに出向し転籍。17年6月から現職。

著者の母艦ノートの一例。2017年の新聞スクラップに対して、6年経ってから情報を追記（写真左下）。さらにその1カ月後にも情報を書き加えている（右下）。このように、ノートの紙面上で「アイディアの断片」が「新しいアイディア」へと徐々に発酵していく。

5 ノートを使って「どこで」思考するか？

ノートで思考する知的生産作業（＝思考タイム）をおこなうにあたって、とても重要である「場所」のことについても触れておきましょう。

どのような環境で取り組むかによって、集中しやすさだけでなく、アイディアの湧きやすさまで変わってきますので、場所の選定はとても大事な要素となります。

私の場合、自宅の書斎で仕事をすることが多いため、基本的にはノートで思考する作業も自宅の書斎が中心となります。

生活が朝型の私は、朝4時台から活動していますが、早朝であれば誰の邪魔も入らないため、特に集中して作業に当たることができます。

しかし、私の経験上、本当にアイディアが湧きやすい環境は、どうやら物静かな場所とは限らないようです。

もちろん、人によって異なるのが前提ですが、例えば私の場合、考え事がはかどりやすいお気に入りの場所は、ファミレスか、ゆったりした造りの喫茶店やカフェが挙げられます。

考え事を膨らませるには、雑音などのほどよい刺激がある方が、脳を活性化してくれるようです。

住み慣れた土地を離れ、別の環境に身を置いて療養する治療法のことを「転地療養」といいますが、その理屈に近いのかもしれません。

そのため私は、仕事で外出している際に、ちょっとした空き時間ができたら、すかさず前述のようなお店に入ります。

そして、手帳に走り書きされたメモを元に、そこから考えを膨らませていく思考作業に没頭するのです。

もちろん、スキマ時間だけでなく、「今日の午前中は、考え事をする時間にしよう」と、あらかじめまとまった時間を確保して手帳やノートを抱えながらファミレスやカフェに向かうこともあります。

このような、自宅でも職場でもない、第三の居心地のよい場所のことをサードプレイスと呼びますが、自分にとってお気に入りのサードプレイスをいくつか持っておくと、ノートを活用した思考タイムに日常的に取り組みやすくしてくれます。

ぜひ、ご自身の自宅や職場の近くで、お気に入りのサードプレイスを見つけてみてください。

ちなみに、ファミレスの場合、たった一人で長居することになりますので、お店が混雑する食事時を避けるか、あるいは思考タイムが終わったら食事をたらふくいただいて帰るようにするなど、お店側への配慮はしっかりと心がけています（笑）。

6 ノートを見返す習慣を身につける「2つのコツ」

さて、ここまでメモとノートを活用して思考を膨らませ、アイディア発想へと結びつける知的生産の方法について説明してきました。

日々の生活のなかで得る「気づき」をメモとして残し、ノートに転記することで「アイディアの断片」を蓄積していき、それらの結合によって使えるアイディアとして育んでいく。

一言でいうとこのような内容でしたが、ここで前提となっているのが**折に触れてノートを見返すことが習慣になっている**ということです。

いざ「自分もノートを活用してみよう」と思っても、日々の忙しさにかまけて、なかなかノートを見返す行為自体が続かないケースが少なくないのは、ひとえに習慣になっていないからです。

そこで、ここでは私の考える「ノートを見返す習慣」を身につける2つのコツについて紹介します。

コツ1――見返す時間をブロックする

まず1つめのコツは、ノートを見返す時間をあらかじめ決めて、その時間をブロックすることです。

例えば、私は早朝に30分ほど（長いときは60分）かけてノートを見返したり、メモ類を転記したりするのが毎朝のルーティンになっています。

朝、愛用の手帳でその日1日の計画を立てるところから始まり、それが終わると「思考タイム」という名のもとに、問答無用で母艦ノートを開いて物思いにふける。これが私のモーニング・ルーティンです。

このように、空いた時間ができた際に取り組むのではなく、「いつ、どれぐらいの時間をかけておこなうのか?」をあらかじめ決めてしまい、**先にその予定をスケジュールとして組み込んでしまうのが習慣化のコツ**なのです。

時間は、アイディア発想しやすく頭のさえている早朝がお勧めです。ただ早朝にこだわる必要はなく、自分自身の生活リズムに馴染みやすい形でルーティン化してみてください。

コツ2──こだわりのノートを使う

モノの力を借りるというのが、2つめのコツです。

具体的には、自分のお気に入りのノートや、こだわって選んだペンを活用することによって、その文房具を使うこと自体にちょっとした至福を感じるようにするのです。

例えば、私は先に紹介した本革製のルーズリーフを母艦ノートとして活用していますが、ノートを開いたときにほのかに漂う革の香りが何ともいえない刺激となって、自分にスイッチを入れてくれます。

また、使い込むほど味のある色へと経年変化していく点も、本革ならではの魅力です。使えば使うほど味が出てくるので、そのルーズリーフを使って思考タイムに取り組むこと自体が楽しみになってきます。

このようなちょっとした楽しみが、ノートを見返す習慣を身につける上で役に立っています。

たまたま自宅にあったノートを使って始めるのもいいのですが、せっかく相棒とするならば、活用するモノにこだわってみるのも1つの手です。

第三章

「読書」を血肉にする

1 読書こそが最高の自己投資だ

私は、読書ほど費用対効果の高い自己投資はないと思っています。

ビジネス書であれば本の値段は、概ね１２００〜１８００円ほどです。たかだか1冊１５００円前後の投資で著者の持っている知識や経験を学び取ることができるのですから、こんなに安い自己投資は他にありません。

私が20歳のときに読んで、自分自身の人生を大きく変えるきっかけを与えてくれた本の値段は１３９０円でした。たった１３９０円で、自分の人生を変えることさえもできてしまうのです。

しかし、現実はどうでしょう。

文化庁の「国語に関する世論調査」によると、日本人の平均読書量は年間12〜13冊で、月に1冊も本を読まない人は47％、１〜2冊が38％、３〜4冊が9％、５〜

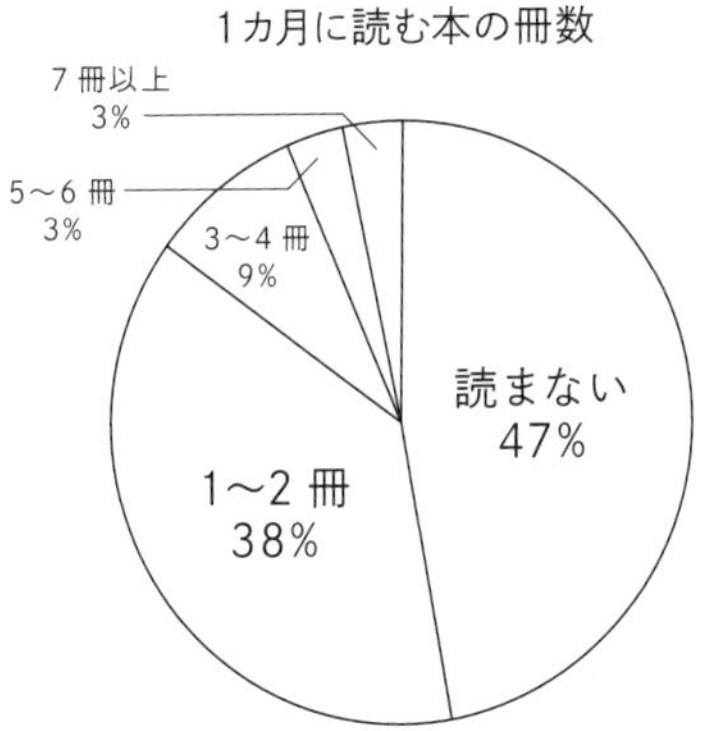

出典：文化庁(https://www.bunka.go.jp/koho_hodo_oshirase/hodohappyo/1422163.html)

6冊が3％、7冊以上読むと答えたのも3％程度。

約半数の人が月に1冊も本を読まないばかりか、月1~2冊までも含めるとなんと全体の85％です。あまりにも本を読まなすぎると感じざるを得ません。

また、ビジネス誌『プレジデント』を刊行するプレジデント社の読書に関するアンケート調査によると、年収1000万円以上の高所得層は、月平均7冊の読書をしていることが紹介されていました。

国税庁の「民間給与実態統計調査」によれば、年収1000万円を超える高額所得者の割合は約4％です。

つまり、やや短絡的な発想ではありますが、月7冊以上の読書をすれば高額所得者4％の仲間入りができると考えられなくもないのです。

マイクロソフトの創業者ビル・ゲイツ氏は、毎晩、寝る前に1冊の本を読むことを習慣にしています。それだけでなく、山荘にこもって集中的に本を読む「ＴｈｉｎｋＷｅｅｋ」という読書週間を年2回設けて、読書を会社経営や人生に活かしてきたそうです。

このように、優秀な経営者や成功者は、熱心な読書家であることがほとんどで、ユニクロの柳井正氏や星野リゾートの星野佳路氏、サイバーエージェントの藤田晋氏など、私の尊敬する経営者はみな例外なく読書家として有名です。

自分の勘や考えだけで生きていくことよりも、読書によって先人の知恵や経験を取り入れながら生きていくことの方が、人生をより豊かにしやすいことは自明です。

私自身、20歳を迎えるまで本をまともに読んだことのない人間でしたので偉そうなことは言えませんが、現在は「読書は最高の自己投資である」という考えのもと、多いときで年間２００冊ほどの本を読み、そこで得た学びをビジネスや私生活に活かすようにしています。読むのは、いわゆる「ビジネス書」が中心です。

その読書においても、メモとノートを活用した「書く習慣」が大きく役立っています。そこで本章では、読書を血肉にするための方法について詳しく解説をしていきます。

2 本にどんどんメモを書き込む

せっかく身銭を切って購入した本ですから、できるだけ汚さないようにきれいさを保って読みたいと思う人が多いかもしれません。

しかし、読書を自分の血肉とするためにも、その考えは今後一切捨てましょう。

重要なポイントには必ず線を引き、必要に応じてメモを書き込み、ページの角を折って印をつけてください。

そうすることで、記憶に定着しやすくなるだけでなく、後から読書ノートを作成する際にきわめて効率的に作業を進められるようになります。

後々、古本屋で売れなくなることなど心配する必要はありません。

仮に中古で売るとしても、そもそも自分が売ってしまおうと感じるような本に、たいした値はつかないでしょう。

私はビジネス書の著者として、過去に上梓した本の読者さんと直接お会いする機会も少なくありませんが、自分の本が書き込みや折り込みによってボロボロになっている姿を見ると、「そんなに読み込んでもらえたのか」と、どこか嬉しい気持ちになります。これをきっと著者冥利と呼ぶのでしょう。


さて、具体的に説明を進めます。

まずは本を読み進めていきながら、重要だと思ったところに線を引きます。

その際、定規を使ってきれいに線を引こうなんて考えないこと。あまりにも非効率になりますし、線を美しく引くことに何の意味もありません。

また、線を引く部分が多いときは、すべての行に線を引かず、全体を四角で囲うように線を引きます。

さらに、とても重要だと思ったところや目立たせたいポイントには☆印をつけ、必要に応じてページの余白部分にメモ書きを加えます。

読書中にその本の内容がトリガーとなって、急に「ひらめき」を得ることがしばしばありますが、そのようなときは、本の裏表紙など余白が多い部分にメモを走らせることもあります。

最後に、線を引いたりメモを書き込んだページは、そのページ上段の角を内側に折ってしまいます。

そうすることで、自分が線を引いたりメモを残した箇所を、後からでもすぐに見つけられるようにします。このように、ページの角を内側に折り曲げると犬の耳に似ていることから「ドッグイヤー」と呼ぶそうです。

すぐに見返したい箇所など重要度がきわめて高いページについては、ページ下段の角も折ってしまうこともあります。

このようなことから、良書であるほど線やメモの書き込みが多くなるため、折り目ばかりの本になります。

ページの角を折らずに付箋を使うという方法もありますが、私は毎回読むたびに付箋を用意するのが面倒なので、付箋を使うことはほぼありません。ただこの点については好みでいいでしょう。

おかげで、自宅の書斎にある私の蔵書は、どれも線や折り込みだらけになっています。そして、裏表紙やページの余白はメモでいっぱいです。

私は、自分が読む本は図書館で借りずに自分で買うべきと考えていますが、それはここで紹介したような読書法を借りた本では実践できないためです。

本はボロボロになるほど使い倒す。

それが、学びを自分の血肉とするための本の読み方なのです。

3 3色ボールペンを使って読書する

私は、3色ボールペンを使って線を引きながら本を読みます。

正確には、黒・赤・青・緑からなる4色ボールペン（三菱鉛筆・ジェットストリーム）

なのですが、本に線を引いたりメモを書き込んだりする場合に限っては黒を使わないので3色です。

私が3色ボールペンを読書で使うようになったのは、20年近く前に読んだ『三色ボールペン情報活用術』（齋藤孝・角川oneテーマ21）で紹介されていた「三色式」という技法を取り入れてのことです。

具体的には、3色ボールペンを使って、客観的に最も重要なものは「赤」、やや重要なものは「青」、主観的に面白いと感じたり、興味を抱いたものは「緑」で線を引いたりメモを残したりするというシンプルなルールです。

赤：客観的に最も重要なもの
青：客観的にやや重要なもの
緑：主観的に面白いと感じたものや興味を抱いたもの

ポイントは、主観と客観という切り口にあると思っています。

3色ボールペンを使い、意識的に主観と客観をカチカチ切り替えながら物事をとらえることは論理的思考力を鍛えることにつながります。

また、自分のフィルターを通して情報を咀しゃくし、その上で自分の意見や考えにつなげるというアウトプット力の向上にも寄与します。

「赤」と「青」で線を引くところは、客観的に見て重要と判断される箇所のため、基本的には誰が読んでも同じ箇所に線を引くはずの部分となります。

「赤」で線を引くのか、「青」で引くのか。その重要度の判断は個々人で差が出てくるとは思いますが、どちらであれ客観的に見て重要視するべきという意味では、誰であっても線を引く箇所として共通してくるはずというわけです。

この「赤」か「青」かという重要度の判断は、要約力の向上にも役立ちます。

例えば、仕事で上司から「時間がないので、要点だけ教えてくれ」と報告を求められた際に、わかりやすく端的に伝えることができる人は「赤」の抜き出しが上手な人でしょう。それがつまりは要約力ということになります。

仮に、課題図書を読んでレポートを提出するという課題があったとしましょう。

そのような場合にも、この三色式が威力を発揮します。

「赤」で線を引いた箇所だけまとめれば、「超要約版」のレポートが完成です。さらに、もう少し情報を継ぎ足す必要がある場合は、「青」で線を引いた箇所を加えていけば「しっかり版」のレポートが完成します。

そこに、「緑」で線やメモを残した自分オリジナルの視点も加えることができれば、完璧なレポートになるでしょう。

さて、この三色式で読書をするにあたって、何よりも大切になってくるのが**「緑」で線を引いた箇所**となります。

先の説明の通り、「緑」は主観的に面白いと感じた点や興味を抱いたもの。第二章で紹介したようなアイディアに結びつきやすいのは、この「緑」だからです。

したがって、「緑」の線や書き込みが多い本であるほど、自分の仕事や私生活に活かせる内容が多い本と評価することができるのです。

3色ボールペンを使って読まれた本

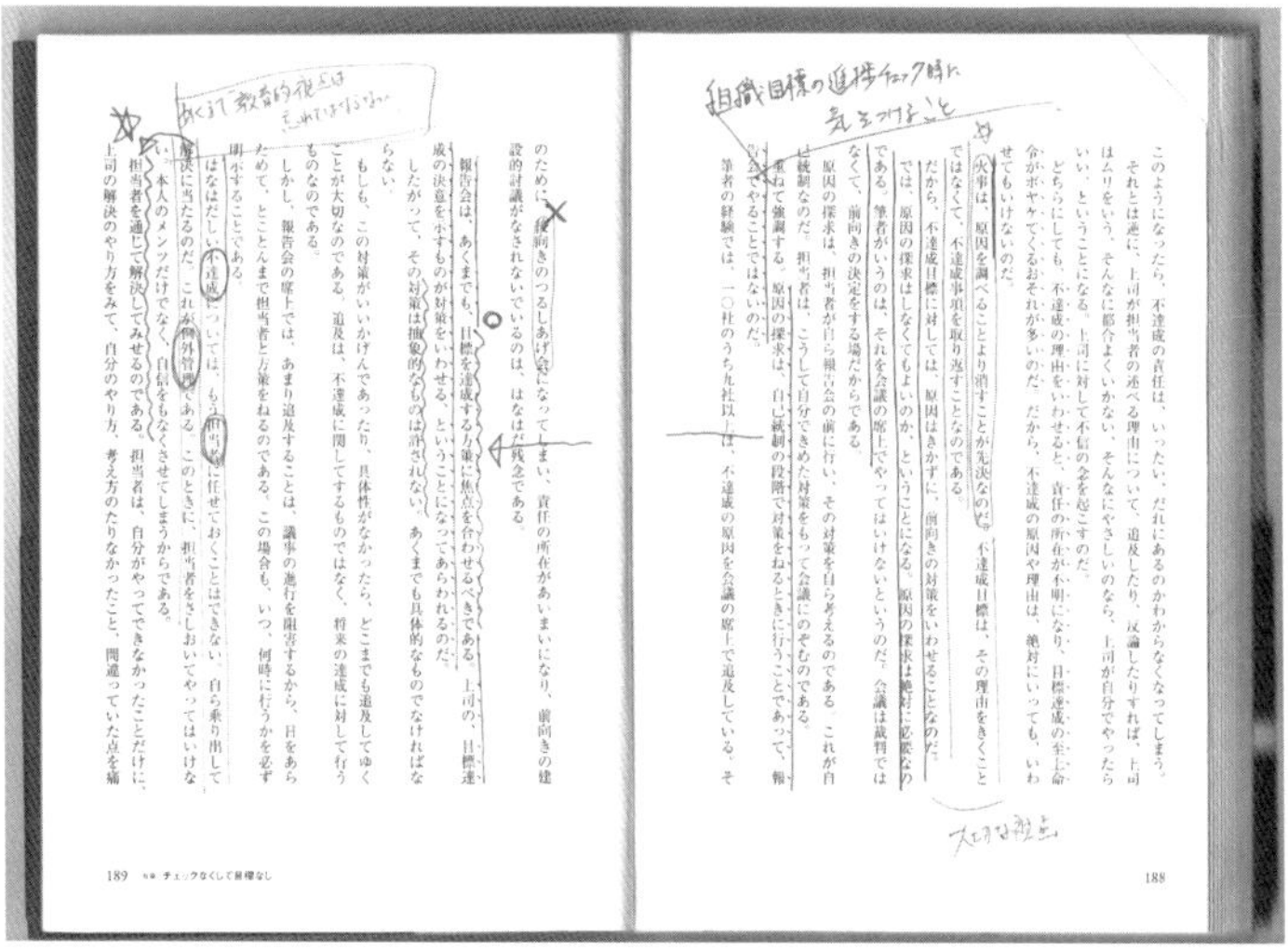
組織目標の進捗チェック時に気をつけること

このようになったら、不達成の責任は、いったい、だれにあるのかわからなくなってしまう。

それとは逆に、上司が担当者の述べる理由について、追及したり、反論したりすれば、上司はムリをいう、そんなに都合よくいかない、そんなにやさしいのなら、上司が自分でやったらいい、ということになる。上司に対して不信の念を起こすのだ。

どちらにしても、不達成の理由をいわせると、責任の所在が不明になり、目標達成の至上命令がボヤケてくるおそれが多いのだ。だから、不達成の原因や理由は、絶対にいっても、いわせてもいけないのだ。

火事は、原因を調べることより消すことが先決なのだ。不達成目標は、その理由をきくことではなくて、不達成事項を取り返すことなのである。

だから、不達成目標に対しては、原因はきかずに、前向きの対策をいわせることなのだ。

では、原因の探求はしなくてもよいのか、ということになる。原因の探求は絶対に必要なのである。筆者がいうのは、それを会議の席上でやってはいけないというのだ。会議は裁判ではなくて、前向きの決定をする場だからである。

原因の探求は、担当者が自ら報告会の前に行い、その対策を自ら考えるのである。これが自己統制なのだ。担当者は、こうして自分できめた対策をもって会議にのぞむのである。

重ねて強調する。原因の探求は、自己統制の段階で対策をねるときに行うことであって、報告会でやることではないのだ。

筆者の経験では、一〇社のうち九社以上は、不達成の原因を会議の席上で追及している。そ

大切な視点

188

あくまで教育的視点は忘れてはならない

のために、前向きのつるしあげ会になってしまい、責任の所在があいまいになり、前向きの建設的討議がなされないでいるのは、はなはだ残念である。

報告会は、あくまでも、目標を達成する方策に焦点を合わせるべきである。上司の、目標達成の決意を示すものが対策をいわせる、ということになってあらわれるのだ。

したがって、その対策は抽象的なものは許されない。あくまでも具体的なものでなければならない。

もしも、この対策がいいかげんであったり、具体性がなかったら、どこまでも追及してゆくことが大切なのである。追及は、不達成に関してするものではなく、将来の達成に対して行うものなのである。

しかし、報告会の席上では、あまり追及することは、議事の進行を阻害するから、日をあらためて、とことんまで担当者と方策をねるのである。この場合も、いつ、何時に行うかを必ず明示することである。

はなはだしい不達成については、もう担当者に任せておくことはできない。自ら乗り出して解決に当たるのだ。これが例外管理である。このときに、担当者をさしおいてやってはいけない。本人のメンツだけでなく、自信をもなくさせてしまうからである。

担当者を通じて解決してみせるのである。担当者は、自分がやってできなかったことだけに、上司の解決のやり方をみて、自分のやり方、考え方のたりなかったこと、間違っていた点を痛

189 チェックなくして目標なし

3色を使い分けて線や囲み、メモを残すことによって、黒文字の羅列しかない本から重要箇所を浮き上がらせることができる。これによって、後々「読書ノート」を作成する作業が効率的になるだけでなく、2度目、3度目と再読する際の効率も高まる。

4 ノートを使った読書後のフォローが重要

どんなに本を読んで知識武装したとしても、今の時代、残念ながら知識量だけでは勝負できません。

ネットで検索すれば、簡単に何でも知ることのできる時代です。

たくさんの知識を持っていて、たくさんの情報を入手していること自体、もう武器にはなりにくいのです。

重要なのは、**知り得た知識を「どう行動に変えていくのか」**ということ。

その観点からすると、せっかく本を読んでも、「読み終わったらそのまま」というケースが思いのほか多いのではないでしょうか？

そうならないためには、これから解説していく読書後のフォローが重要となってきます。

読書後のフォローとは、**「読書ノート」の作成**です。

読書後の補強作業と呼んでもいいでしょう。

この手の話をすると必ず出てくるのが、「ノートをつくる時間があったら、その時間で他の本を読んだ方がいいのではないか？」「ノートをつくる時間がもったいない」といった反論めいた主張です。

仮に、毎回の読書によって得られたことを仕事や私生活で十分に活かすことができていれば、わざわざノートづくりなんかに手間と時間をかける必要はないでしょう。

一方で、**「いくら本を読んでも、仕事や私生活に活かせている実感があまりない……」と少しでも感じるようなら、読書後のフォローに時間を投資するべき**です。

ただ、読書後のフォローといっても、よくありがちな「本の重要箇所を、すべて丸々ノートに転記する」といった、あまりにも手間と時間がかかるようなノートづくりはお勧めしないので安心してください。

読書ノートを作成する最大のポイントは、時間をかけすぎないことです。

30分なら30分、1時間なら1時間と自分のなかで時間を決め、それ以上の時間をかけないようにすることで無理なく継続できるようになります。

大切なことは、読書から得た学びや気づきを実際の行動に結びつけて自分の血肉とすることであり、完璧なノートをつくることではないのです。

5 読書を行動に結びつける「3行ノート」

読書後のフォローとしておこなう読書ノート作成。

そのうちの1つが「3行ノート」です。

具体的には、その本1冊から得られた学びや気づきのなかから、**「自分が行動に移すと決めたこと」を3つだけ書き記す**というシンプルなものです。

3色ボールペンを使って、重要箇所に線を引いたり、メモを残したりしているページがたくさんあるなかから、たった3つに絞り込んでノート（専用のフォーマットを印刷した用紙）に書き込んでいきます。

この3行ノートは、私が尊敬する方の著書に、「一般的なビジネス書は1冊につき約3000行。そのうち1行でも『なるほど』と思う箇所があれば、それで本の価値としては十分」と書かれていたのを読み、そこから着想を得てつくったフォーマットです。

読書が自己投資である以上、**「何かしらの行動に移さない限りは、リターンを得ることはできない」**という発想からたどり着いた1つの答えでした。

私もかつて、読んだ本の重要箇所をノートにしっかりとまとめていた時期もありましたが、次の事柄に悩んでいました。

①本の内容をきれいに、かつ網羅的にまとめようとしても結局続かなくなる
②続かないゆえに、本から得たことを行動に結びつけることもしなくなる

③行動に移さないから、読んだ内容を活かせている実感が得られない

そのため、「行動に結びつける」という1点にフォーカスするように改めてノートづくりを簡略化し、その代わり**本1冊のなかから3つだけは必ず行動に移す**、という実践的なノート作成法へと方針を切り替えたのです。

ちなみに、「3つだけ」としているのは、あれもこれもとしてしまうと、それはそれで結局行動に移さなくなってしまうためです。

1冊1500円前後のビジネス書から、実際に行動に移すと決めたことを3つ見つけることができれば「元は取れている」と割り切るのです。

こう話すと、「1冊から3つだけなんて、もったいない」と感じる方もいるかもしれません。しかし、本を読んでも結局何も行動に移さずに終わることの方がよほどもったいないと私は考えます。

本1冊のなかから得た小さな気づきたった1つを行動に移し、結果的に大きなビ

ジネスチャンスを得た経験がある私としては、このことを切に感じます。

私の場合、この3行ノートは普段愛用しているシステム手帳のリフィルに用紙を印刷して書き込んでいます。

日常的に持ち歩いている手帳に挟み込んであれば、スキマ時間などのちょっとしたタイミングで折に触れて確認することができるだけでなく、そのままスケジュールに行動予定として書き込むこともできるため手帳に記入するようにしています。

本は「読んで終わり」にせず、きちんと行動に移して実践するからこそ、学びを自分の血肉にすることができる。3行ノートは、そのための仕組みの1つなのです。

読書ノート（3行ノート）

タイトル 世界を獲るノート	著者名 島沢優子	日付 5.6	評価 ○
ポイント（断腸の思いで絞り込んだ行動に移す3点）			
① 「正しい指導＝失敗させない指導」ではない. 自立と成長に重きを置く			
② Good - Bad - Next のフレームを自分の手帳に取り入れてみる			
③ オフザフィールド（プレー以外の生活）を整える → それがプレーに出る			

タイトル 何を捨て何を残すかで人生は決まる.	著者名 本田直之	日付 5.13	評価 ○
ポイント（断腸の思いで絞り込んだ行動に移す3点）			
① 収入が増えた時ほど、物ではなく経験に投資する → 自分の器を高める			
② [PC対スマホ]の仕事比率を、スマホに比重を寄せる → 現状10:0 ⇒ 7:3へ			
③ オフ領域の時間は先に天引きする			

タイトル ワン・シング	著者名 ゲアリー・ケラー	日付 5.21	評価 ○
ポイント（断腸の思いで絞り込んだ行動に移す3点）			
① それをすることで他の全てがもっと容易になるか、不必要になる「1つのコト」とは？			
② ↳ それを3ヶ月に1回考える時間を設けて、			
③ ↳ モーニングルーティンに取り入れて行動する.			

タイトル	著者名	日付	評価
ポイント（断腸の思いで絞り込んだ行動に移す3点）			
①			
②			
③			

タイトル	著者名	日付	評価
ポイント（断腸の思いで絞り込んだ行動に移す3点）			
①			
②			
③			

3色ボールペンで線やメモを残したエッセンスから、行動に移すと決めたことを文字通り「断腸の思い」で3点に絞り込んで書き込む。

6 読書の効果を最大化させる「アウトプットノート」

私の経験上、先に紹介した3行ノートに慣れてくると、「もうちょっと本から得たことを書き込みたいな」という欲が出てきます。

そのような方にお勧めしたいのが、2つめの読書ノートである「アウトプットノート」です。

アウトプットノートは、脳科学者である上岡正明氏の著書『死ぬほど読めて忘れない高速読書』（アスコム）のなかで紹介されていたもので、私が初めて知ったときに、「3行ノートとほぼ同じ発想だ」と非常に感銘を覚えたことから取り入れるようになりました。

アウトプットノートは、3色ボールペンで線やメモを残したエッセンスのなかから、5〜6個、多くて10個程度を抽出して箇条書きで書き出すというものです。

つまり、断腸の思いでエッセンスを3つに絞り込む「3行ノート」に対して、もう少し多めに抜き出すのがこの「アウトプットノート」です。

具体的な書き方としては、4つのステップに分かれます。

①読書の「目的」を書く
②本の「タイトル」を書く
③本から得た「エッセンス」を20文字以内で箇条書きで書く
④「行動プラン」や「具体的なアクション」を箇条書きで書く

良書であるほど、多くのページに線やメモを残すこととなり、結果的にどこをエッセンスとしてノートに書き込もうか悩んでしまうケースが少なくありません。

しかし、①で示している通り、まず初めにその本を読む目的を明確にしておけば、その目的に沿ったエッセンスを抽出することになるため迷う必要がなくなります。

また、本から抜き出すエッセンスは5〜6個程度、1つあたりの文字数は20文字以内としていることから、非常にシンプルで手間もかかりにくいので無理なく続けることができます。

何よりも大切なのは、最終的にエッセンスを行動に転換させる④で、その視点が3行ノートと共通している部分となります。

このようにして書きためられていくアウトプットノートは、あなたの人生のバイブルとでも呼べる行動プラン全集となります。

その行動プランをスケジュールに落とし込み、1つひとつ着実に実行していけば、自然と読書で得た学びと気づきが自分の血肉となっていくことでしょう。

7 読書から表現力を高める「語彙リスト」

言いたいこと、伝えたいことは頭のなかでイメージできているのに、適切な言葉がとっさに出てこない。

このような経験は、お持ちではないでしょうか?

明治大学文学部教授の齋藤孝氏によると、現代は大人の語彙力が危機的状況にあるといいます。

メールやSNS全盛の世の中ですが、日常でも仕事でも、くだけた言葉遣いが増えて、子供っぽい話し方をしている。社会人らしく見えない。そして、そのことで損をしてしまう。そういう人が増えているというのです。

かくいう私も、仕事柄セミナーや講演会など人前で話しをする機会が多いため、語彙力や言葉による表現力の向上は課題の1つとなっています。

そこで役立つのが「語彙リスト」です。

本を読んでいると、初めて目にする言葉や、「この表現わかりやすいな」と感じるような言葉に出会う機会があると思います。そのようなときは、すかさずメモで残すようにします。

私の場合、愛用しているシステム手帳に「語彙リスト」と項目名が書かれたリフィルを挟んでいますが、そのリフィルに箇条書きでメモを記していきます。

ここには、知らなかった言語表現だけでなく、気になった言葉の定義なども書き込んでいます。

そのメモの集積は、いわば自分専用の「言葉の辞書」。

何か言葉による表現で詰まった際には、すかさずこの語彙リストを開いてチェックするのです。

現代はビジネスシーンにおいても、メールやLINE、チャットツールなどを用いて、文章のみでコミュニケーションする機会がかなり増大しています。語彙リストは、そんな時代を生きるあなたを助けてくれる強力なメモになるはずです。

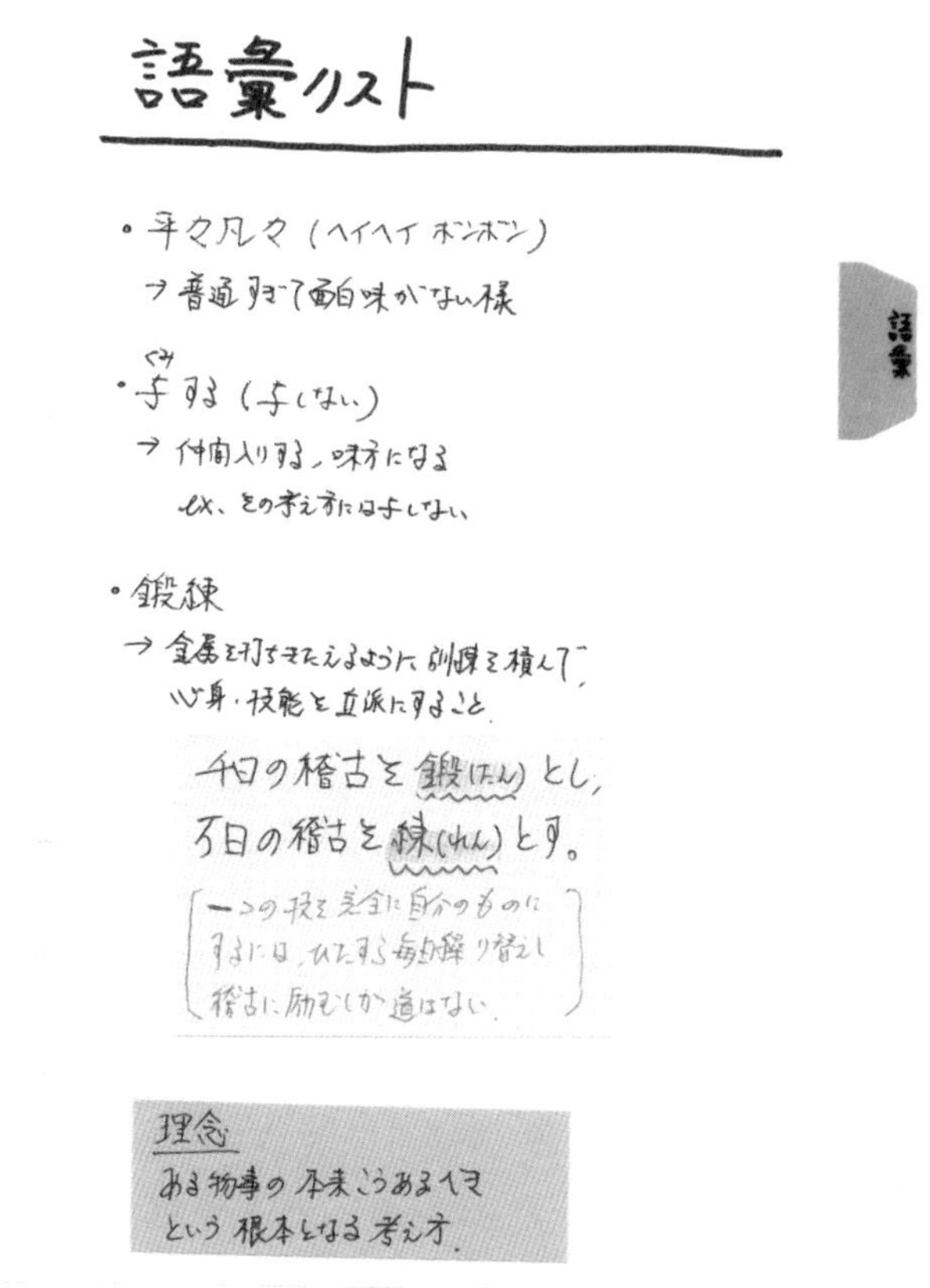
語彙リスト
・平々凡々（ヘイヘイボンボン）
→普通すぎて面白味がない様
・与《くみ》する（与しない）
→仲間入りする、味方になる
ex、その考え方には与しない
・鍛錬
→金属を打ちきたえるように、訓練を積んで、
心身・技能を立派にすること。
千日の稽古を鍛（たん）とし、
万日の稽古を錬（れん）とす。
［一つの技を完全に自分のものに
するには、ひたすら毎日繰り返し
稽古に励むしか道はない。］
理念
ある物事の本来こうあるべき
という根本となる考え方。
語彙

手帳に束ねられた「語彙リスト」は、表現力やボキャブラリーを豊かにするのに役立っている。

8 失敗しない本の選び方

年間200冊前後の読書をしていると、なかには「これはイマイチ」という本を手にしてしまうことも少なからずあります。また、電子書籍などを中心に、出版の障壁が低くなっているからか、いわゆる駄作も多くなっているのが正直な感想です。

そこで、当パートでは、私のこれまでの経験から培った本の選び方について説明しておきたいと思います。

1 ― 目的を明確にする

まず第一に、目的を持って本を選ぶことが重要となります。

読書はあくまで、手段に過ぎないためです。

ここでいう目的とは、本書の第一章パート5（104ページ）で紹介した「課題」とイコールだととらえていいでしょう。

自分自身の抱えている課題を解決すること、あるいは、課題解決のためのヒントを得ることが目的ということになります。

その目的が明確であれば、「今の自分にはどんな本が必要か？」ということを、はっきり意識することができます。

2 ― 奥付と書評コメントをチェックする

目的がはっきりしたら、そのテーマに準じたジャンルのなかから実際に購入する候補を選びましょう。

リアルの書店であれば該当するジャンルの棚から、Amazonなどのオンライン書店であればネット上の販売ページから候補を探します。

ジャンルによっては、類書が多岐にわたって存在することもあるでしょう。

基本的な判断基準としては、中身をパラパラ確認して、自分が「読みやすそう」と感じたものを選べばOKです。

しかし、いわゆる「立ち読み」が可能なリアル書店に対して、オンライン書店の場合はひと工夫必要です。

最近はオンライン書店でも中身の一部を確認できるようになってきましたが、すべてをパラパラめくれるわけではありません。

そこで、オンライン書店の場合は、次の2点をチェックして判断します。

◎奥付（著者プロフィール）

奥付とは、本の終わりにある著者名や発行社名などが書かれたページを指しますが、ここには必ず著者プロフィールがあります。

奥付にあるプロフィールを見て、その著者がその本のテーマにおいて、どれだけの有識者であるのか、どれだけの実績を残している人なのかを確認します。

そのテーマやジャンルにおいて、第一人者と呼べるような著者の書物であるほど、ハズさない可能性は高くなると考えていいでしょう。

◎書評コメント

次に、書評コメントを確認します。

選定基準の目安は、書評数100件以上です。

出版されて間もない本の場合は、その点を加味して少なめに見積もっても構いません。

書評でよくある5段階評価のうち☆がいくつかという視点もありますが、それよりも件数の方が重要で、評価件数が多いということはそれだけ支持されている、影響を与えているといえるためです。

支持される数が多ければ、一定割合で批判めいたコメントや評価は出てしまうものです。ゆえに、私の場合は、多少の酷評があっても気にしません。

書評数が100件あって平均評価が☆1つといった極端なケースは別ですが、そうでもない限りは、概ね書評の件数で判断して間違いないと考えています。

もちろん、100件未満の本は購入する価値がないというわけではありませんが、手っ取り早く確実性の高い判断をするための基準として参考にしてください。

3 ― セカンドオピニオンを求めて複数冊買う

購入する本は、必ずしも同一ジャンルから1冊に絞り込まなければいけないわけではありません。

むしろ、テーマによっては1冊しか読まないと、見識に偏りが出てしまいかねないため、あえて複数冊を読む場合もあります。

これは、病気になったときに一人の医師の意見を鵜呑みにせず、別の医師にセカンドオピニオンを求めるのと同じです。

複数人の著者の本に触れるからこそ、本質が見えてくることもあるからです。

4 ― 古典的名著を選ぶ

本選びにおいて私が常に注目するのは、刊行されてからだいぶ歳月が経っているのに、リアル書店の書棚に必ず1冊置いてあるような本です。

いわゆる、古典的名著です。

このような本は、流行の波を乗り越えて、定石として生き残ったことを示しています。

例えば、私が営業職だったとして、安定的に営業成績を出すことに課題があったとしましょう。

書店でセールス系の棚を確認すると、実に多くの営業本が並んでいますが、ここで選ぶのは最新のセールステクニックが紹介されたような新刊ではなく、古くから読み継がれている古典的名著を優先的に選びます。

本の選び方はテーマによって変わる

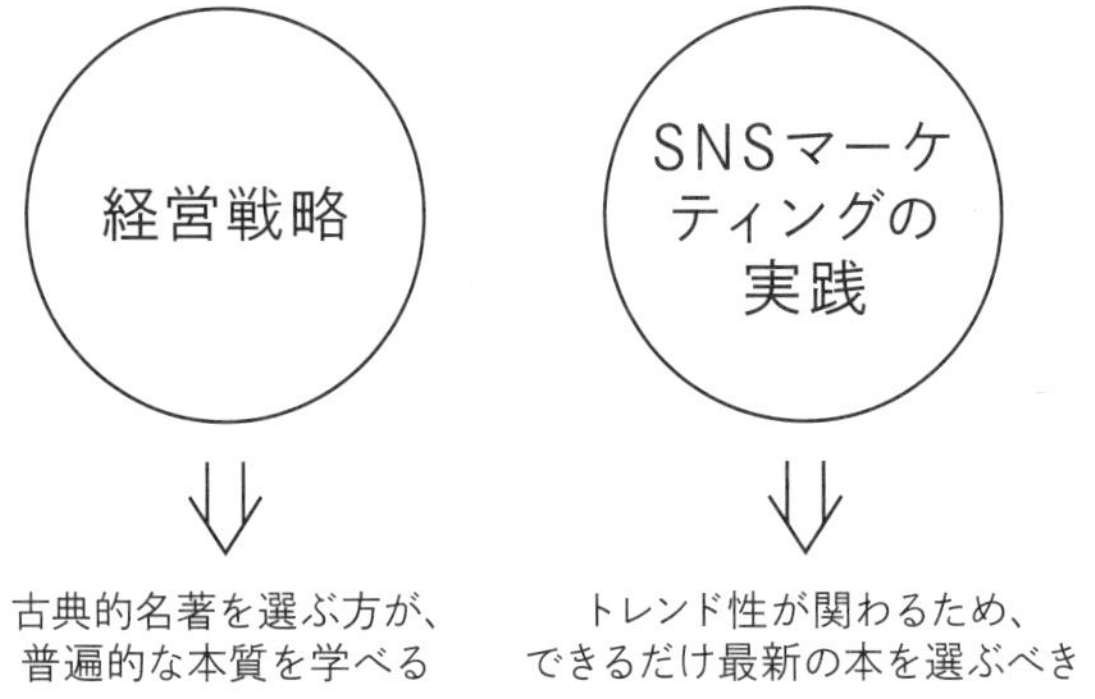
経営戦略
SNSマーケティングの実践
古典的名著を選ぶ方が、普遍的な本質を学べる
トレンド性が関わるため、できるだけ最新の本を選ぶべき

具体例として、フランク・ベトガーの『私はどうして販売外交に成功したか』（ダイヤモンド社）は、刊行されたのが1964年。

世に出てから実に60年の歳月が経っているにもかかわらず、いまだにベストセラーとして君臨している営業のバイブルです。

この本は、営業職の人にとってはもちろんのこと、業種業界に関係なくさまざまなビジネスシーンで多分に活用することができる内容であり、それゆえ、今もなお読み継がれているのです。

ただし、このような「古典的名著を選

ぶ」という考えが当てはまらないケースもあります。それは、トレンド性が関わるテーマで、例えば「SNSマーケティングの実践」などが該当します。

このようなテーマは、流行り廃りが激しく、時代の流れとともに内容が常にアップデートされていくため、できるだけ刊行されて間もない最新の本を選ぶべきといえるでしょう。

9 「積読」で多読していく

積読《つんどく》という言葉があります。

本を購入し、「いつか読もう」と思ってはいるものの、まだ読まずに放置して積んである状態の本を意味したものです。

私は、こと本に関しては「少しでも気になったら即購入する」と決めているため、今読まなくても後々絶対に読むことになるだろう本を次々と購入します。そのため、自宅の書斎の机上は、常に未読の本が山のように平置きされています。

こうする理由は、私の読書スタイルが「併読」だからです。

併読が読書スタイルになっているのは、私が飽きっぽい性格だからという理由もあるかもしれませんが、どういう性格かは置いておいたとしても、非常に効率的な読書法であるためお勧めです。

具体的には、その時々で自分の気分に合った本を手に取って読み進めます。

例えば、就寝前にベッドで読みたい気分の本もあれば、「今日は、電車の移動時間中にこれを読みたい」と思う本もあるでしょう。

1冊の本だけを複数日かけて集中的に読んでいるような時期であっても、気分転換を兼ねて別の本を読むことはしばしばあります。

このように、**その時々での自分の気分に合った本をチョイスすることで、効率的かつ効果的に本を読み進めることができます**。これが併読のメリットです。

また、自分が今抱えている課題に対して、その解決策を見出すべく、その課題に関連した特定テーマの本を5〜6冊積んで一定期間をかけて併読していくこともあります。

そしてもう1つ、机の上に積まれているのはこれから読む本だけでなく、「読書ノートの作成待ちの本」もあります。

読書ノートは、本1冊を読み終えるたびに書き上げるに越したことはありませんが、実際には複数冊分をまとめて一気に作成する、というケースも度々あるためです。

このような理由から、書斎の本棚にしまうのは、読み終わって読書ノートの作成が終わった本だけとなります。

積読というと、「読もう読もうと思いながらも、なかなか読み進められていない状態」というネガティブなイメージを持つ方もいるかもしれませんが、一方で**「積読は知識欲の鏡」**という言葉もあります。

買った本が積まれた状況は、自分が学びたいことや知りたいことを鏡のように映し出しているという意味で、知識欲を無駄にしないための読書スタイルとして私はポジティブにとらえています。

今読んでいる1冊を読み終えてからでないと、次の本に移ることはできない。そんな固定観念をお持ちの方には、ぜひ試してみていただきたい読書法です。

10 良書は何度も読み返す

本章のパート5で、1冊の本から3つでも行動に結びつけるポイントを抜き出せれば元は取れているという説明をしましたが、なかには、一度読んだ本でも、二度三度と何度も読み返す場合もあります。

特に、古典的名著と呼ばれるような書籍ほどそれに該当してきます。

例えば、デール・カーネギーの『人を動かす』と『道は開ける』（創元社）は、70年以上も読み継がれている世界的名著です。

このような良書は一度読み終えたとしても、時間が経ってから再度読むと、まったく違うところから学びや気づきを得ることができます。

試しに、同じ本を数年後に読み返して、「3行ノート」にまとめてみてください。行動に結びつけようと抽出する3点は、きっと以前とは異なるものになっているはずです。


理由は、自分が以前よりも成長しているから。

また、人はその時々で、抱えている課題や目標が変わるためです。

自分が成長しているからこそ、同じ本を読んでも線を引くところや感銘を受けるところが変わってくるということです。

このような、「何度読んでも、その時々で得られる学びが違う」という良書はそう多くはありませんが、私の経験上では、やはり長きにわたって読み継がれている古典的名著ほどその傾向があります。

本章のコラムで、私がお勧めする書籍一覧を載せていますので、ぜひそちらを今後の本選びの参考にしてみてください。

11 古典を読んで人間力を育む

私は人間力を育むために古典を読むことをお勧めしています。

古典といえば、高校生までの勉強で教わった「意味のよくわからないもの」と映るかもしれません。なぜならば、かつての私がそうだったからです。

しかし、古典というのは一過性の「話題書」ではなく、長きにわたって多くの人々に読み継がれてきた「最強のベストセラー」です。

これだけ発展した現代において、今もなお残り続けているのは、**多くの人々が影響を受けてきた「共通の知識」を習得することのできる教養**だからです。

ときに、「この本の何が面白いのだろう」というものも正直あります。

古典を楽しめないのは、自分の人としての器がまだまだ未熟だからかもしれませんが、面白くないのも魅力の1つととらえて読むといいでしょう。

私は経営者だからか、ビジネスにも応用が効く『孫子』やマキアヴェッリの『君主論』を好んで読みます。

また、人間として守るべき道徳を簡潔な言葉で記された『論語』も、生き方の指針を確認することができるのでお勧めです。

古典は、昔の言葉で書かれていることがほとんどで、現代に生きる私たちにとっては決して読みやすい書物とはいえません。

そんな古典を読むコツは、ずばり「積読」にあります。

それも、机の上に積んでおくのではなく、睡眠導入用として枕元に置いておいたり、ちょっとした時間でパラパラ通読できるようにリビングのテーブルの端やトイレに置いておくのです。

病院で受付待ちをしながら読む雑誌のように、軽い気持ちで目を通しているだけで、意外と読み進められたりするものです。

また、突然スイッチが入ったかのように、古典を楽しめるときがくるから不思議なものです。

冒頭で触れた通り、古典は人としての幅や奥行きを育んでくれる、これ以上にない書物です。

自分なりの、古典との上手な付き合い方を見つけてみてはいかがでしょうか。

12 「アウトプットする場」を設けることの効果

ここまで読み進めてきて、「本はアウトプットを前提に読むもの」だということを理解していただけたのではないでしょうか。

「3行ノート」も「アウトプットノート」も、結局は実際の行動に結びつけることが目的であり、行動に結びつけるからこそ読書にお金と時間を注いだ自己投資分を回収できるわけです。

そんなアウトプットを前提とした読書法として、私は**勉強会の活用**をお勧めしています。

住んでいる地域に関係なくオンラインで集まれてしまう今の時代、「〇〇読書会」といった類の勉強会はいたるところで開催されています。

テーマや内容は会によってマチマチだとは思いますが、多くの場合は、それぞれの参加者が読んできた本を紹介する。あるいは、あらかじめ課題図書として定められた本を読んできて、その感想を参加者同士でシェアするといった内容です。

本を読んだだけで終わりにしないためにも、このような場はアウトプットの機会として最適でしょう。

読書会に参加するメリットは、まず、アウトプットを前提として読書をするため**本の内容が記憶として定着しやすくなる**こと。

さらに、参加者同士で感想や意見を共有し合うことで、**自分一人で読書するときよりも圧倒的に理解を深められ、気づきも得られやすくなる**ことにあります。

もし、自分に適した読書会がないと感じた場合は、自ら主催してしまうのもありでしょう。

どんなテーマの勉強会であれ、一番学びを得ることができるのは、実は参加者ではなく主催者自身だったりするものです。

カフェや喫茶店でおこなうのもいいですし、最近であれば、比較的手頃な金額でレンタルルームを借りることもできます。また、ＺｏｏｍやＬＩＮＥ通話などを活用してオンラインで実施すれば、地域に関係なく参加者同士で集まることができます。

私もかつては、週末の早朝にホテルのラウンジで開催されている読書会に参加したり、同じ会社内のメンバー同士で勉強会を開いたりした経験があります。

現在は、私の主宰する『Ｍｙ手帳倶楽部』という学習コミュニティ内で、毎月のように読書会を開催しています。

自ら開催しているからこそわかりますが、このような読書会に定期的に参加（または主催）していると半強制的に本を読み進めることができますので、「なかなか本が読めない……」という方ほど、このような会に参加することを強くお勧めします。

COLUMN

推薦図書

以下に著者が推薦する書籍を紹介します。今後の読書の参考にしてください。どれも最近になって出版された話題書ではなく、長きにわたって読み継がれている古典的名著が中心となっています。

1―人生を豊かにする原理原則

『7つの習慣』（スティーブン・R・コヴィー／キングベアー出版）
『思考は現実化する』（ナポレオン・ヒル／きこ書房）
『生き方』（稲盛和夫／サンマーク出版）
『道は開ける』（デール・カーネギー／創元社）
『人を動かす』（デール・カーネギー／創元社）

『影響力の武器［第三版］：なぜ、人は動かされるのか』
（ロバート・B・チャルディーニ／誠信書房）

2―会社経営・企業戦略

『成功者の告白』（神田昌典／講談社）
『競争の戦略』（マイケル・ポーター／ダイヤモンド社）
『売れるもマーケ 当たるもマーケ　マーケティング22の法則』
（アル・ライズ、ジャック・トラウト／東急エージェンシー）
『決定版 V字回復の経営　2年で会社を変えられますか？』
（三枝匡／KADOKAWA）
『ランチェスター弱者必勝の戦略［強者に勝つ15の原則］』
（竹田陽一／サンマーク出版）
『一倉定の経営心得』（一倉定／日本経営合理化協会 出版局）

3―ビジネス全般

『プロフェッショナルの条件　いかに成果をあげ、成長するか』
(ピーター・F・ドラッカー／ダイヤモンド社)

『新版 問題解決プロフェッショナル［思考と技術］』
(齋藤嘉則／ダイヤモンド社)

『私はどうして販売外交に成功したか』(フランク・ベトガー／ダイヤモンド社)

『三色ボールペン情報活用術』(齋藤孝／角川oneテーマ21)

『アイデアのつくり方』(ジェームス・W・ヤング／CCCメディアハウス)

『ワン・シング 一点集中がもたらす驚きの効果』
(ゲアリー・ケラー／SBクリエイティブ)

『エッセンシャル思考 最少の時間で成果を最大にする』
(グレッグ・マキューン／かんき出版)

『星野リゾートの教科書　サービスと利益 両立の法則』(中沢康彦／日経BP社)

4―ライフデザイン

『改訂版　金持ち父さん 貧乏父さん［アメリカの金持ちが教えてくれるお金の

哲学」』（ロバート・キヨサキ／筑摩書房）
『TQ　心の安らぎを得る究極のタイムマネジメント』（ハイラム・W・スミス／SB文庫）
『LIFE SHIFT 100年時代の人生戦略』（リンダ・グラットン他／東洋経済新報社）
『さあ、才能（じぶん）に目覚めよう　最新版 ストレングス・ファインダー2・0』（ジム・クリフトン他／日本経済新聞出版）
『手帳で夢をかなえる全技術』（高田晃／明日香出版社）
『野村の「人生ノート」夢をつかむ特別講義』（野村克也、野村克則／日本文芸社）
『カリスマ体育教師の常勝教育』（原田隆史／日経BP社）

第四章

「人生」を設計する

1 「書く習慣」で人生をデザインする

「すごい厚さの手帳ですね。いったい何が書かれてるんですか？」

これは、私の手帳を見た人からよく言われる質問です。

いつしか自分のなかでは当たり前となっていますが、私が愛用するシステム手帳は、あふれんばかりのリフィル（手帳の用紙）が挟み込まれ、まるで辞書のような姿になっていることが理由です。

手帳と聞くと、普通は「スケジュールを記入するもの」と考える人が多いですが、私の場合はそれだけにとどまりません。

詳しくは後述しますが、**「自分の人生は、自らの手でデザインしていく」**という思

著者が愛用しているA5サイズのシステム手帳。
好きが高じて、自らレザーアイテムブランドを立ち上げ製作した。

想のもとに、自分の人生に関わるすべての情報を手帳に書き込んでいることから、いつしか分厚い姿へと変化してきたのです。

私は20歳から本格的に手帳を使い始めましたが、そこがまさに「書く習慣」のスタートでした。

以来、約20年間にわたって自分らしい人生を追い求め、「書く習慣」を自己実現に役立ててきましたが、そこから私が得られたことは次の3点に集約されます。

1 一 他人と比較して自分の幸福度を測らなくなった

本来、幸せの尺度は人それぞれに異なります。

しかし、かつての私も含めて多くの人たちは、他人と比べて自分の幸せの度合いを決めてしまう傾向にあります。

「自分よりいい車に乗っている」「自分より広い家に住んでいる」といったものが、わかりやすい例でしょう。

以前に私の講演会に参加された方が、「SNSで他人の投稿を見ていると、キラキラしすぎていて劣等感を感じてしまう」と嘆いていましたが、これもまさに他人との比較からきています。

このように、他人と比べていると実にキリがなく、いつまで経っても自分を満たすことができなくなってしまいます。

そうならないための鍵は、**「自分の価値観」を知ること**にあります。

例えば、「上場企業で働く」ことにステータスを感じる人もいれば、一方で「小さな会社で責任感を持って働きたい」と考える人もいると思います。

これはどちらが正しいというものではなく、その人自身が持っている価値観からきているのです。

このような自分の奥底にある価値観を、「書く習慣」を通じて明確にすることで「自分軸」という名の他人とは比べない物差しができあがりました。

結果として、他人との比較によって自分の幸福度を測ることはなくなり、自分らしい人生を歩むようになったばかりか、毎日の充実感までもが増すようになったのです。

2 ― 仕事で結果を出せるようになった

「書く習慣」をスタートさせた20歳のとき、私が手帳に書き込んだ夢の1つに「28

歳までに起業する」というものがありました。その後、紆余曲折を経て、結果的には1年遅れの29歳で独立し、Ｗｅｂコンサルティング会社を創業しました。

また、同じく私が20歳のとき、「いつか本を出版したい」と自分の夢を語ると、周囲から鼻で笑われたこともありましたが、本書で5冊目となる著者になることもできました。

このように、これまで大小さまざまな夢を実現してきましたが、これらはゴールから逆算した計画思考と、持続的なＰＤＣＡ（プラン↓実行↓検証↓改善）サイクルを回す習慣が、私を目標達成体質にしてくれました。

そして、その大もとは「書く習慣」によってもたらされたといえるのです。

3 ― プライベートの充実度が向上した

仕事をバリバリこなして高収入を得ている、うらやましく思えるようなビジネスパーソンでも、実は夫婦関係が悪くプライベートはズタボロ……なんてケースは少なくありません。

しかし、自分の「在りたい姿」や「目指す将来像」を具体的に書き出し、そのためにやるべきことを明確にすれば、公私にわたって人生を充実させることができるとわかりました。


私は、2社の会社の社長という顔を持ちながらコンサルティング業や研修講師業に従事しつつ、ビジネス著者や大学講師としても活動しているなど、仕事面での役割は多岐にわたっています。

一方、プライベートでも同様で、子供が3人いる一家の大黒柱という顔を持ちつつ、10代の頃から続けているサーフィンは毎年4~5戦の大会に出場するほど今でも本格的に取り組んでいます。

また、小学生の息子がサッカーを始めたのをきっかけに、少年サッカーチームのコーチとしての顔も持つようになり、サッカーチームの運営にも携わっています。

このように、公私にわたってさまざまな役割をマルチにこなせており、いわゆるワーク・ライフ・バランスがよい状態で保てているのも「書く習慣」によるものなのです。

以上3点が、「書く習慣」を自己実現に役立てることで私が得られたことですが、これらは私だったからできたことかといえば、決してそうではありません。

本書で紹介する内容を実践して、人生を好転させた成功事例が次々と生まれているというのは序章でも触れた通りです。

これから、本章で詳しく解説する内容のコアメッセージは、**「メモを書く習慣で、人生をデザインする」**ということ。

自分の「将来の在りたい姿」を定め、そこに向けたロードマップを明らかにすることで、生き方が変わり、夢が実現するようになり、結果として、毎日を充実したものにしていくことができます。

いずれも、「書く習慣」がその鍵を握っているのです。

ぜひあなたも、これから説明していく内容を実践し、毎日を自らの手でデザインしていくことの効果を感じ取ってみてください。

2 人は「夢で描いた自分の姿」以上にはなれない

なぜ、夢を書き出すことが大切なのでしょうか？

それは、**人は「夢で描いた自分の姿」以上にはなれない**ためです。


例えば、オリンピックのメダリスト。

彼ら彼女らは、何年のどこで開催されるオリンピックに出場して「メダルを獲得する」という明確な夢を持って競技に臨んでいたはずです。

ただ何となく練習して、何となく試合に出場し、気づいたらメダルを獲っていた、なんていうメダリストは過去に一人もいないでしょう。

メダリストは例外なく、それを手に入れたいと強烈に夢を描き、そこに向けて努力を積み重ねた人のなかからしか誕生しないのです。

私たちの人生においても同じです。

ただ何となく漠然と過ごす毎日の延長に、充実した豊かな未来は望めません。

世界的名著である『7つの習慣』（キングベアー出版）で、著者のコヴィー博士は「すべてのものは二度つくられる」と説いています。

すべてのものは、まず頭のなかで創造され、次に実際に姿形のあるものとして創造されるという原理原則です。

例えば、家を建てるときには、まずどんな家にするのか頭のなかで創造し、それが設計図という形に落とし込まれます。そして、次にその設計図に基づいて建築計画を立て、それからようやく工事が始まります。

同様に、家族で旅行に出かけるときは、まず行き先を決めて最適なルートを考えてから出発するものです。

人前でプレゼンテーションするときは、事前にどんな話をするか話の構成を考えるでしょう。

この本も、まずは企画と構成を考えてから、私は原稿を執筆しています。

私たちの人生も同じように、まずはどんな人生にしたいのか、どこに向かいたいのかを創造してみる必要があります。

その将来像によって、これから歩むべき道が変わってくるからです。

3 自分の「在りたい姿」を書き出す

いきなりですが、あなたはどんな人間になりたいでしょうか？

仕事と私生活のそれぞれで、どんな姿になっていたら理想といえそうでしょうか？

そんなことを急に聞かれても、なかなかすぐに答えるのは難しいことだと思います。

そこでお勧めしたいのが、ノートとペンを用意して**「役割リスト」**を書いてみることです。

ここでいう「役割」とは、自分という人間が担う「顔」のことを指します。

例えば、私であれば夫、父親、経営者、ビジネス著者、セミナー講師、少年サッカーチームコーチ……といった具合に自分の担う役割を挙げて、それらに対してどんな姿を目指すのかを書き出していきます。

他にも母親、隣人、友人、ＰＴＡ役員、町内会スタッフなど、社会生活を送っていれば何かしらの役割は必ず担っているはずです。

このように自分の担う役割1つひとつを認識し、その役割ごとの「在りたい姿」を意識して日々を過ごしていくことによって、人生をバランスよく充実させることができるのです。

私は、この役割リストを愛用しているシステム手帳に挟み込み、折に触れて目にすることで自分の進んでいる方向がズレてきていないか、目指す姿に反した行動をとってしまっていないかを確認しています。

ここでのポイントは、2点です。

まずは、**役割は多くても5～7個程度までにとどめる**こと。

あまり多くなりすぎると管理が煩雑になってしまうためです。

例えば父親、夫、息子という顔は「家族」という役割で一括りにしてしまうなど、同類のカテゴリーのものはまとめてしまいましょう。

次に、**将来目指している顔も役割として加える**ようにすることです。

例えば、今は会社員でも、将来独立してフリーランスとして働くことを目指しているのであれば、「フリーランス」や「個人事業主」、はたまた「起業家」という形で役割を設けるのです。

そうすることによって、自分が目指す未来の役割に対しても常日頃から意識を持って過ごせるようになり、その夢の実現速度も高まります。

以上2つのポイントを押さえておけば、書き方に細かいルールはありません。

誰かに見せるものではありませんので、自分がしっくりくる表現で役割リストを書いてみましょう。

あなたの役割例

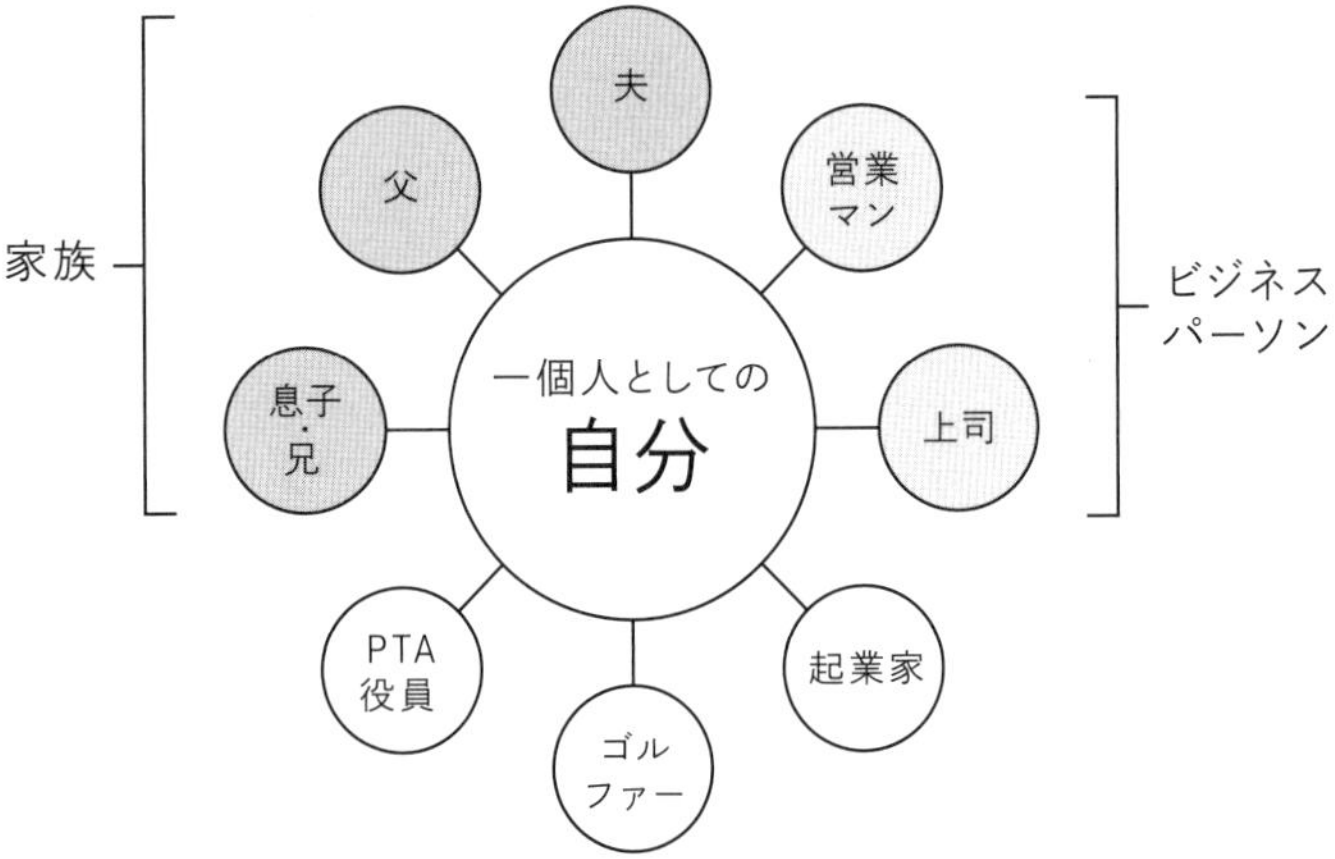

役割は、多くても5～7個程度までにとどめること。
煩雑にならないよう、同類のカテゴリーのものはまとめてしまうのがコツ。
将来目指している顔も役割として加えると、夢の実現速度が高まる。

「役割と目指す姿」の記載例

役割：家族
目指す姿：常に笑いが絶えない、温かみを感じる家族。

役割：友人
目指す姿：誰とでも分け隔てなく接することができる。
頼るよりも頼られる友人。

役割：ビジネスパーソン
目指す姿：常にプロ意識を持ち、求められる期待値を
必ず上回る結果を出す仕事人。

役割：フォトグラファー（フリーランス）
目指す姿：夢を追って頑張る人の姿を写真に残し、
多くの人に見てもらう。5年以内に独立する！

役割：ゴルファー
目指す姿：3年後までにスコア90台！

4 「価値観」を書き出して自分軸をつくる

価値観とは、あなたが「人生において最も大切にしていること」です。

価値観は「誠実」「挑戦」「楽しさ」など、あなたの生き方や信条を含むものであり、物事や判断の基準になっているだけでなく、あなたという人格の基盤にもなっています。

さらに、「経済的な自立」や「尊敬される人間」といった、人生で達成しようとする大きな目標も価値観として含まれます。

どのような価値観を持っているかは、人によって異なります。

それは、子供の頃から現在までの生きてきた環境や経験、持ち合わせている才能や性格によって形成されるためです。

例えば、今後の人生をどう生きたいかを問いかけたときに、「常にチャレンジ精神を忘れずに、何事にも挑戦していきたい」と答える人もいれば、一方で「あまりリスクを負うことなく、安定的な生活を求めたい」と答える人もいるでしょう。はたまた、「上場企業で働く」ことにステータスを感じる人もいれば、一方で「小さな会社で責任感を持って働きたい」と考える人もいると思います。

これらは、どちらが正しいというものではなく、その人が持つ価値観そのものなのです。

この自分の奥底にある価値観を明確にすることで、生き方や将来設計に「指針」を持つことができます。私はこれを「**自分軸**」と呼んでいます。

自分軸がしっかり定まっておらず、他人軸を中心に生きてしまうと、周囲の人やその場の雰囲気に流されてしまいがちになるばかりか、常に他人と自分を比較して劣等感を抱えながら生きていくことになるため、充足感をなかなか得られないことにもつながります。

『人生は手帳で変わる　3週間実践ワークブック』（フランクリン・コヴィー・ジャパン著／キングベアー出版）によれば、「価値観を明確にすることで、あなたが何か行動を起こす際に影響する揺るぎない行動基準が生み出され、自分のなかで強いコミットメントを得ることができる」と説明されています。

また、「あなたの日々の行動が価値観に導かれたものとなって初めて、自分にとって大切なことをしているという満足感が得られ、本当にやりたいことを達成する原動力になる」とも記されています。

このように、周囲の人やその場の雰囲気に流されることなく、自分らしい豊かな人生を歩んでいくためには、この「自分軸」という名の価値観の明確化が必要となるのです。

そこで、ぜひ取り組みたいのが、「価値観リスト」の書き出しです。

具体的には、「家族が第一」「正直に生きる」というように、あなたが大切だと思うことをノートや手帳に箇条書きで記していきます。

価値観リストを書き上げるには、「自分は何を大切にしているのだろうか？」と自分に問う、自己対話が必要です。

一朝一夕で書き上げられるほど簡単ではないため、なかなか根気のいる作業となりますが、次の質問に答える形でまずは思いつく限り書き出してみてください。

Q1　あなたの人生で大切なことは、どのようなものがありますか？

Q2　あなたが最も価値を置くものは何ですか？

Q3　あなたは、あなたが亡くなったとき、周りの人から何と言われたいですか？

これら3つの質問だけでも、あなたの内面に問いかけるきっかけにできるでしょう。

手始めにこの質問の答えを考えるなかで、芋づる式にさまざまなことが思い浮かんでくるでしょう。

ポイントは2つです。

まず、**価値観は自分のなかにすでに存在している**ということ。

したがって、ノートに書き出す際には、「これからつくる」というよりも、「見つける」という感覚で取り組むのがいいでしょう。

そして2つめは、とにかく**「なぜ？」を繰り返して、これ以上に理由が言えないというところまで掘り下げる**ことです。

もうこれ以上「なぜ？」を繰り返しても、「どうしても」としか言いようがないところまで自問自答して、根っこまでたどり着こうとしてみてください。

価値観リストの書き方やまとめ方に決まりはありませんが、その意味を明確にするように説明文を添えて書き記すことをお勧めします。

「価値観」の記載例

価値観：経済的な自立と安定
説明文：家族が安心して暮らせる経済的基盤を持つことが大切。

価値観：自分と家族の健康が第一
説明文：何事も健康あってのこと。精神的にも肉体的にも
健康でいることを第一とする。

価値観：信頼される人間であること
説明文：約束を守る。正直である。信念を貫く。結果として、
他人から信頼されるようになる。

価値観：知的成長
説明文：知識と知恵は、人生をより豊かなものにしてくれる。

価値観：義理人情
説明文：人として道理を重んじ、思いやりや情けを大切にする。

価値観：見栄を張らず、ありのままの姿で生きる
説明文：自分をよく見せようと背伸びをすることや、
他人と張り合うことは格好悪いこと。

5 「夢」を書き出す

ここまで自分の「役割」を定め、その役割ごとにおける「将来の在りたい姿」を描き、さらに、自分が大切にする「価値観」を書き出すことで人生の指針をつくり上げました。

そして、次に書き出してほしいのが「夢リスト」です。

夢の実現は、具体的に書き出すところから始まります。

ただ、いきなり夢を書き出せといわれても「簡単には出てこない」という人もいるかもしれませんが、あまり難しく考える必要はありません。

「ポルシェを買えるぐらい稼ぎたい」や「高級ブランドのバッグが欲しい」といっ

たものでもＯＫです。

また、「体重を60キロまで落としたい」「家族で旅行に行きたい」といったものでもいいでしょう。


不思議なもので、子供に対して「将来の夢は何？」と聞くと実にさまざまな意見が出てくるのに、大人になるとすぐに答えられるケースは少なくなります。

これはきっと、私たちが大人へと成長するプロセスのなかで、子供心というものが徐々に薄れ、さまざまな経験によって「現実味」というものを覚えてきているからでしょう。

しかし、夢リストは誰かに提出を求められたり、見せたりするものではありませんから、現実的であるかどうかという視点はいったん横に置いておきましょう。

月並みな言葉ですが、人生は一度きり。自分の気持ちに素直になって書き出してみることが大切です。

私は、ビジネスパーソンの目標達成を支援するパーソナルコーチングも手がけていますが、自分を取り巻く環境や置かれている状況は何も変わっていないのに、夢を明確に持っただけで目の色が変わっていく人をこれまでに何人も見てきました。その経験からも、夢を持つことの大切さを痛感しています。

私が尊敬する経営者の一人であるGMOインターネットの熊谷正寿氏は、先述の著書『一冊の手帳で夢は必ずかなう』（かんき出版）のなかで、こう書いています。

「現実と乖離しているからこそ夢なのであり、その乖離を埋めるところに生きる喜びが存在する」

夢リストは、自分の「やりたいこと」や「実現したいこと」を思いつくままに書き出す、いわば「願望リスト」です。

自分の気持ちに素直になり、左記の3つの観点から書き出してみましょう。

「夢リスト」の記載例

Have（欲しいもの）：手に入れたいもの、所有したいもの

・マイホームを建てたい
・ワンボックスカーを買いたい
・仕事用の新しい鞄を買いたい

Be（なりたいもの）：こうなりたいという状態

・料理上手になって、ホームパーティで友人を呼べるようになりたい
・英会話を習得して、海外旅行で言葉の不自由をなくしたい
・フリーランスとして独立して、自分らしく働きたい

Do（やりたいこと）：経験したいこと、行ってみたいところ

・表参道にあるカフェで読書しながら一人時間を満喫したい
・家族旅行でヨーロッパに行きたい
・小説を書きたい

6 「ビジョン」を書き出し、自分の未来を描く

ビジョンとは、あなたが長期的にどうなりたいかを具体的に描いた「理想の未来像」のことを指します。

先ほどの夢リストのなかで点在していた1つひとつの夢に、ストーリーを持たせて青写真にしたものがビジョンです。

ビジョンを書き出すことによって、夢が空想の夢物語ではなくなり「人生の計画」へと変わります。

私たちの人生は、「将来どう在りたいか」によって、「今どう在るべきか」が決まってきます。

例えば、「10年後はこうなりたい」と描くと、そのために5年後にはこうあるべ

き、さらに3年後にはこうなっている必要がある、そして1年後には……という形で、未来像を明確にすることによって逆算的に「現在やるべきこと」が定まってくるのです。

4年後のオリンピックを目指す競技者には、今やるべきことが明確に見えています。同様に、中学受験を考えている小学生は、5・6年生から受験を見据えた過ごし方に変わっていきます。

つまり、**未来を描くことで「今の生き方」を決めることこそが、ビジョンを書き出すことの本質**なのです。

具体的な書き方についても触れておきましょう。

私がお勧めする書き方は、縦軸に自分の役割、横軸に1年後・3年後・5年後・10年後という4つの時間軸を設け、夢リストに書き込まれた1つひとつの夢を振り分けていく方法です（210～211ページ参照）。

また、夢リストとは異なり、ビジョンは構想であり計画です。

書き出すときは、**必ず完了形で書く**ようにしましょう。

例えば、「海外旅行で不自由しない英会話を身につけたい」という夢があった場合、ビジョンでは「海外旅行で不自由しないレベルの英会話を習得」というように書き記します。

つまり、10年後なら10年後、5年後なら5年後の自分になりきって、そのときの状態を書くのです。

3年後なのか5年後なのか、期日がわからないものについては、いったん10年後の欄に振り分けてしまってていいでしょう。


「庭付きの一戸建てに住んでいる」

「副業で本業と同等の収入を稼いでいる」

「〇〇のブランドバッグを使っている」

「毎朝5時起きでヨガをやっている」


このように、大きな夢から、ちょっぴり身近な夢まで、ビジョンの大きさはバラバラで構いません。

できるだけ数多く書き出した方が、どんどん未来像が具体的になっていきます。

また明確なビジョンは、明快なモチベーションと行動をもたらしてくれます。

ビジョンは、年末年始など1年の心を新たにできるタイミングを使って、最低でも年1回、毎年アップデートすることをお勧めします。

5年後（2028年末）	10年後（2033年末）
52歳 50歳 22歳 19歳	57歳 55歳 27歳 24歳
・両親も含めた家族で国内旅行1回、海外旅行1回 ・貯蓄+150万円	・貯蓄+180万円
・異業種交流会参加継続 ・オンラインサロン立ち上げ	・自ら主催した交流会が100人規模になる
・コンサルタントとして独立起業 ・品川近辺に事務所（週3日通勤）、それ以外は自宅で仕事&外回り ・ホームページ開設	・年収3000万円突破 ・自分+従業員3名 ・セミナー講師として月2～3本登壇
・年1回、ゴルフコンペ参加 ・平均スコア80以下	・経営者仲間のゴルフコンペを主催
・週1回のジム通い ・フルマラソンに出場（5時間台で完走）	・体重50キロ台をキープ ・健康診断オールA ・英会話→海外旅行で不自由しない

「ビジョン」の記載例

	1年後（2024年末）	3年後（2026年末）
年齢 自分	48歳	50歳
妻	46歳	48歳
息子	18歳	20歳
娘	15歳	17歳
役割1 家族	・家族の行事にすべて参加 ・2泊以上の家族旅行に行く ・貯蓄○万円	・家族でハワイ旅行に行く ・貯蓄＋100万円
役割2 友人	・高校時代の同窓会を開催	・2カ月に一度、異業種交流会に参加
役割3 ビジネスパーソン	・年収700万円 ・5人の部下を統率 ・会社主催の講演会で講師として登壇	・年収1000万円突破 ・マネージャーとして2部門を統率 ・起業準備開始（経営塾へ）
役割4 ゴルファー	・年1回、ゴルフコンペ参加 ・週1回ペースで打ちっぱなしに通う	・年1回、ゴルフコンペに参加を継続
役割5 その他	・5キロ減量ダイエット ・英会話の勉強を始める	・週1回のジム通い ・英会話→外国人と立ち話ができる

7 夢の実現のために「マイルール」を書き記す

私は、将来の夢やビジョンとセットで「やらないこと」を定めることをお勧めしています。

自分の夢を描き、理想とするビジョンを書き記し、その実現に向けて日々奮闘しようとしても、実際には自分が「やりたいこと」以外にも、多くの「やらなければいけないこと」が次から次へと襲いかかってくるのが現実だからです。

アップルの創業者スティーブ・ジョブズ氏の**「何をしないかを決めることは、何をするかを決めるのと同じぐらい大事なことだ」**というセリフが有名ですが、1日24時間という資源を増やすことができない限り、何かをやるためには、何かを切り捨てざるを得ないというのが原理原則です。

したがって、自分のやりたいことを実現するためには、それと合わせて「やらないこと」も明確にする必要があるのです。

そこで私がお勧めしているのが、「やらないことリスト」(別名、NotToDoリスト)を書き出すことです。

書き方は非常にシンプルで、自分が「やらないこと」や「やめること」を箇条書きでリスト化するだけ。いわば、**自分で自分に課すマイルール**です。

「仕事面」と「私生活面」のそれぞれで書き出すといいでしょう。

この「やらないことリスト」は、書いて終わりにするのではなく、きちんと自分が日々の生活のなかで守ることができているかを定期的に確認するようにします。

私の場合は、月末(または月初)に1カ月間の自分の活動を振り返る機会を設けていますが、その際にこの「やらないことリスト」を見返して、自分の行動を省みるようにしています。

「やらないことリスト」の記載例

仕事面

・露骨な値引き要求には応じない
（Win-Win の関係が築けないため）

・メールで済ませられる無意味な会議はやらない
（わざわざ集まる必要がないため）

・報告や情報共有のための資料づくりに凝らない
（要点だけ伝われば十分なため）

・同じ志を持つ人以外を採用しない
（お互いが不幸になる可能性が高いため）

私生活面

・飲み会の場で、過度に飲みすぎない
（二日酔いで翌日を無駄にしてしまうため）

・海外ドラマは見ない
（生活リズムを乱すため）

・ゲームアプリをスマホに入れない
（ハマっても何も残らないため）

・人の陰口や悪口は言わない
（周囲からの信用を下げ、運も悪くするため）

【ワーク】あなたの人生について考えてみよう

次の質問について考え、あなたの人生の土台を書き記してみましょう。

Q1　あなたが人生で大切にしていること（価値観）は何ですか？　思いつく限り書き出してみましょう。

Q2　あなたの夢は何ですか？「欲しいもの」「なりたいもの」「やりたいこと」に分けて書き出してみましょう。

Q3　Q2で書き出した1つひとつの夢を「1年後、3年後、5年後、10年後」に分けて10年ビジョンをつくってみましょう。

第五章

「目標」を達成する

1 夢を行動に変える

前章では、夢（ビジョン）を書き出すことの重要性を説きましたが、どんなに夢を書き記しても具体的な行動に移さない限り、当然ですが夢の実現はあり得ません。

では、夢の実現に向けて行動に移していくには、どうすればいいのでしょうか？

そのための方法が目標設定です。

私は目標を、**夢（目的）にたどり着くため、またはそこから外れないための目印**と定義しています。

正しい目標を設定できれば、夢の実現に向けた行動をもたらしてくれます。

例えば、次のような目標があったとしましょう。

「保険の売上で1億円プレーヤーになりたい」
「店舗数を20店まで出店したい」
「いま働いているお店を、地域ナンバーワンにしたい」
「社内のゴルフコンペで優勝したい」
「お金持ちになりたい」
「世界一周旅行をしたい」

どれも素敵な目標です。しかしここに書かれていることは、夢と目標がごっちゃになっているのがおわかりでしょうか？

夢と目標の明確な違いは、検証可能かどうかにあります。

先の例でいうと、「保険の売上で1億円プレーヤーになる」「店舗数20店になる」という理想の将来像は、数字による明確な到達基準があるため、達成したかどうかを客観的に判断することができます。

また、「社内のゴルフコンペで優勝する」「世界一周旅行をする」というのも、実現したかどうかを客観的に判断できます。

このような基準を有したものは目標と呼びます。

一方、「いま働いているお店を、地域ナンバーワンにしたい」「お金持ちになりたい」はどうでしょうか？　何がどうなったら「地域ナンバーワン」といえるのか、どのような状態が「お金持ち」と呼べるのかがはっきりしていないため、実現したかどうかを客観的に判断することができません。

実現までの距離を測ることができないため、具体的な行動を検討することができないのです。逆にいえば、**夢を実現するための第一歩は、その実現に向けた正しい目標を設定することにある**のです。

明確な目標は、明快な行動をもたらしてくれます。

では具体的にどうすればいいのでしょうか？

2 数値化された目標を設定する

目標設定は技能です。しかし残念なことに、私たちが正しい目標設定の仕方を学ぶ機会は、学校教育を含めてほとんどないのが実情です。

そのためか、目標設定の段階でつまずいてしまう人が意外なほど多く見受けられます。

そのような人の共通点は、**目標とスローガンを混同してしまっている**ことです。

例えば、次のような目標があったとします。

「今年こそダイエットでスリムな体になる」

「今月は、部下の教育に注力する」

「今週は、子供に優しく接する」

これらは、いずれも目標ではなくスローガンです。「どうなったらダイエットが成功なのか？」「どうなったら部下の教育に注力できたといえるのか？」「どうすれば子供に優しくできたことになるのか？」という定義づけがないため、ゴールが曖昧です。

ゴールが曖昧だと、達成できたかどうかを判別できません。

一番の問題は、**ゴールが曖昧であるために「達成するために何をするべきか」という施策を考えることができないこと**にあります。

では、どのようにすれば正しい目標設定と呼べるのでしょうか？

それは、**数量や期限を含めて数値化すること**です。

例えば、ダイエットの目標であれば「12月末までに10キロ痩せる」、子育てであれば「今週は、感情的に声を荒げてしまう回数を0回にする」などです。

このように数値化して設定すると、数量や期限によって達成基準が明確になるため、進捗や達成の有無が検証可能になります。

そして、検証できるからこそ「次の手」を検討できるようになるのです。

3 目標はストレッチゾーンのなかで設定する

目標設定に関して、もう1つ大切なポイントがあります。
それは、目標は必ずストレッチゾーンのなかで設定するということです。

「心理的負荷」による3つの領域

人には、無意識に安心と感じる行動エリア、快適に感じる行動パターンが存在します。これを心理学では「コンフォートゾーン」（安心快適領域）と呼びます。

・何年も同じ会社で、慣れた仕事を淡々とこなす

・毎日同じ時間に、同じルートで通勤する
・住み慣れた家に住み続ける
・いつも決まった友人と遊ぶ

これらがコンフォートゾーンの典型例で、ストレスや不安がなく、限りなく落ち着いた精神状態でいられる場所や領域を指します。

一方で、この**コンフォートゾーンを一歩出た領域を「ストレッチゾーン」**と呼びます。

・新しいプロジェクトを任されて、これまでとは異なる仕事をすることになった
・引越しをして、新しい地域に馴染まなければならない
・初参加の勉強会で、見ず知らずの人たちと接することになる

これらがストレッチゾーンの典型例です。

人は、**コンフォートゾーンを出てストレッチゾーンに入るとストレスを感じます。**

例えば、初めて幼稚園に通い始める小さな子供は、園庭で母親から引き離されるとわかると、ワーワーと泣きじゃくり、必死に抵抗します。

これは、母親から離れて幼稚園という初体験の場所に行くことが、その子にとってコンフォートゾーンの外側、つまりストレッチゾーンだからです。

しかし、何とか現状を受け入れ、一人での環境に自らを適応させようとすることで、幼稚園という場に慣れていき、子供として一歩成長します。

このように、ストレッチゾーンは「ラーニングゾーン」（学びの領域）とも呼ばれ、私たちが成長するためには必要な領域なのです。

つまり、**ストレッチゾーン（ラーニングゾーン）をコンフォートゾーンへと変えていくことで人は成長していく**わけです。

多くの人は、幼稚園または保育園に入り、小学校、中学校、高校、そして人によっては大学へと活動の範囲が徐々に広がるとともに、コンフォートゾーンも広がっていきます。

他方で、このストレッチゾーンより外側の領域は「パニックゾーン」と呼ばれます。自分のスキルや知識ではまったく通用しないため、極度に不安やストレスを感じ、思考が停止してしまう心理状態を指します。

心理的負荷による3つの領域

パニックゾーン
極度にストレスを感じ、
通常ではなくなる領域
（＝思考停止になる）

ストレッチゾーン
適度なストレスを感じる領域
（＝成長していける）

コンフォートゾーン
安心、快適に感じる
慣れ親しんだ領域
（＝成長が見込めない）

ストレッチゾーンでの目標設定が成長のカギ

ここでお伝えしたいことは、人はコンフォートゾーンにとどまっているよりも、**ストレッチゾーンにいた方が高いパフォーマンスを発揮できる**ということです。

何も刺激がない安心・安全な領域にいるよりも、多少ストレスがある状態に置かれた方が作業効率が上がることは科学的にも証明されています。

これらのことから、**目標を立てるときは必ずストレッチゾーンのなかで設定する**ことが大切なのです。

えてして多くの人は、今まで経験したことがないような高い目標を掲げることに不安を感じたり、これまで長年続けてきた生活や仕事のスタイルを変えることにストレスを感じ、ついついコンフォートゾーンのなかで毎日を過ごしてしまいがちです。

しかし、次々と夢を実現していくような人は、「本当に達成できるかな？」と疑問を感じるような高い目標を自らに課します。あえてストレッチゾーンに身を置き、自分が目標によって引っ張り上げられるかのようにすることで、高いパフォーマンスを発揮しているのです。

「適度な不安やストレスのないところに、成長はない」といわれます。

これは、適度に心理的負荷がかかるストレッチゾーンの目標を設定し、これをクリアすることで、次はその基準が当たり前となり、さらに高い目標を追い求められるようになるからです。

4　1年の目標を書き出す

本パートでは、目標設定の仕方についても触れたいと思います。

第四章で人生を設計する「書く習慣」について説明しましたが、そこでノートや手帳に書き出したビジョンが目標設定する上でのベースとなります。

具体的には、自ら描いたビジョンのうち、「1年後のビジョン」に該当する箇所から1年間の目標へと落とし込みます。

私は「役割」ごとにビジョンを書き出すことを推奨していますので、1年間の目標も同じように「役割」ごとに設定することになります。

そうすることで、公私にわたってバランスのとれた1年間をデザインすることができます。

例えば、ビジョンのなかで「家族」「友人」「ビジネスパーソン」「ゴルファー」というように役割が定められているのであれば、それぞれの役割に書き込まれている「1年後のビジョン」（230ページ）を実現するために、「どのような状態を目指すのか？」という視点で「今年の年間目標」（231ページ）を考えます。

1年後のビジョン

役割1 家族	・家族の行事にすべて参加 ・2泊以上の家族旅行に行く ・貯蓄○万円
役割2 友人	・高校時代の同窓会を開催
役割3 ビジネスパーソン	・年収700万円 ・5人の部下を統率 ・会社主催の講演会で講師として登壇
役割4 ゴルファー	・年1回、ゴルフコンペ参加 ・週1回ペースで打ちっぱなしに通う
役割5 その他	・5キロ減量ダイエット ・英会話の勉強を始める

ビジョンから年間目標への落とし込み（例）

今年の年間目標

←目標化

役割1 家族	①子供の運動会に参加する（6月） ②3泊4日で伊豆旅行に行く（夏休み） ③12月末時点で貯蓄○万円
役割2 友人	④10月に高校の同窓会開催
役割3 ビジネスパーソン	⑤上半期の人事考課でA評価を取り、リーダー職に昇格する ⑥12月末までに会社で講演会を開催し、講師として登壇する
役割4 ゴルファー	⑦GWに開催されるゴルフコンペに参加 ⑧週1回（月4回）ゴルフの打ちっぱなしに通う
役割5 その他	⑨12月末までに5キロ減量 ⑩12月末までにTOEIC600点台を取る

願望をベースとしていたビジョンが、目標として置き換えられることによって実現へと大きく動き出す。

5 1年の目標を頓挫させないための秘訣

せっかく年初に立てた目標も、忙しさにかまけて徐々に忘れ去り、気づけばもう年末。「あ〜、今年も未達成……」といった経験を、あなたもお持ちではないでしょうか？

一説によると、年初に立てた目標を、1月の2週目までに80％の人が忘れてしまうという話があるぐらいです。

では、どうしたらいいのでしょうか。目標を形骸化することなく年間目標を追い続けていくには、実はちょっとしたコツが存在します。

それは、1年の目標を**「3カ月ごとの目標に落とし込む」**というものです。

1年の計画を3カ月ごとに4分割することを「クォーター（四半期）制」と呼びます。

上場企業が四半期ごとに決算短信を開示したり、テレビ番組が1クール（3カ月）単位で放映されたりするように、会社や組織で採用されているプロジェクトの単位が3カ月であることは少なくありません。

これにならい、私は会社経営や組織運営だけでなく、個人としてもクォーター制で目標と計画を考えることを推奨しています。

仮にあなたの職場がクォーター制でなかったとしても、あなた個人として3カ月計画を運用すればいいのです。

1年でも1カ月でもなく、3カ月の理由

では、なぜ年間目標を3カ月単位に落とし込むのがいいのでしょうか？

まず、**1年の目標は、そのままの単位だと期間が長すぎます**。目標達成までの期間が長すぎると、熱意を維持するのが難しく、中だるみしてしまう可能性が否めません。

例えば、途中で「達成が難しいかも」と感じると、そのまま自然と熱意が冷めていき、結果として手を抜き始めてしまいます。

「今年こそは！」と年初に目標を掲げても、多くの人がいつしかその目標を忘れ去り、形骸化してしまう理由はここにあるのです。


では、1カ月単位の「月間目標」ではどうでしょうか？

私は、最終的には「月間目標」や「週間目標」にまで落とし込んでいくことを推奨していますが、「年間」から「月間」へと一気に落とし込むことはあまりお勧めしていません。理由は、**1カ月だけでは何か1つのテーマに向き合って取り組むには期間が短すぎる**ためです。

自己マネジメントが近視眼的になってしまい、「できたのか」「できなかったのか」という表面的なPDCAサイクルに陥ってしまう可能性があります。

また、期間が短いため、どうしても「目先の結果」だけを追い求める視点になりやすいことも理由として挙げられます。

一方で、3カ月あれば仕事でも勉強でも、何か1つのテーマやプロジェクトを推し進めるには長すぎず短すぎない適度なスケジュールのため、集中が続くだけでなく、挽回も図ることができます。

Googleやメルカリがクォーター制を導入していることで有名ですが、それ以外にも実に多くの企業や組織が3カ月単位で目標設定している事実にも納得がいきます。

以上のようなことから、私は1年の目標を設定したら、その達成に向けて必要なアクションを3カ月ごとの目標として置き直すことをお勧めしており、それこそが1年の目標を頓挫させない秘訣でもあるのです。

年単位の目標

1〜12月

⇨ 期間が長すぎて熱意と集中が続かず、多くは「絵に描いた餅」になる

3カ月単位の目標

1〜3月	4〜6月	7〜9月	10〜12月

⇨ 集中が続き、挽回も図りやすい期間で、目標が形骸化しづらい

月単位の目標

1月	2月	3月	4月	5月	6月	7月	8月	9月	10月	11月	12月

⇨ 1つのテーマに向き合って取り組むには、期間が短すぎる

6 目標達成のためのアクションプランを書き出す

前述の通り、私は「1年の目標」をもとに、さらに「3カ月目標」に落とし込みますが、ここまで来たらいったん年間目標のことは忘れて、「3カ月の目標達成」に集中します。

具体的には、**「3カ月目標」を達成するために必要なアクションを月単位、週単位、日単位に落とし込み、実際の行動へと結びつけます。**

例えば、3カ月目標の1つに「3カ月後までに体重を70キロまで落とす」というものがあったとしましょう。

次に考えるのは、「その達成のために今月に何をやるべきか?」ということです。

そこで出てきたものが、そのまま「今月の目標」に置き換わります。

同様に、今月の目標が定まったら、「その達成のために今週は何をやるか？」と考え、「今週の目標」が決まります。

ここまで来ればおわかりの通り、最後は「今週の目標達成のために、今日は何をするか？」という視点で1日単位のアクションへと落とし込まれるのです（左図）。

「水は上から下に流れる」のは普遍的な原理原則ですが、**同じように、アクションプランも上位目標から下位目標へと落とし込みます**。

このように、体系的に目標設定することで、年初に掲げた「1年の目標」が単なる「絵に描いた餅」で終わることなく、「今の頑張り」がきちんと未来に結びつくようになるのです。

すべての目標は連動している

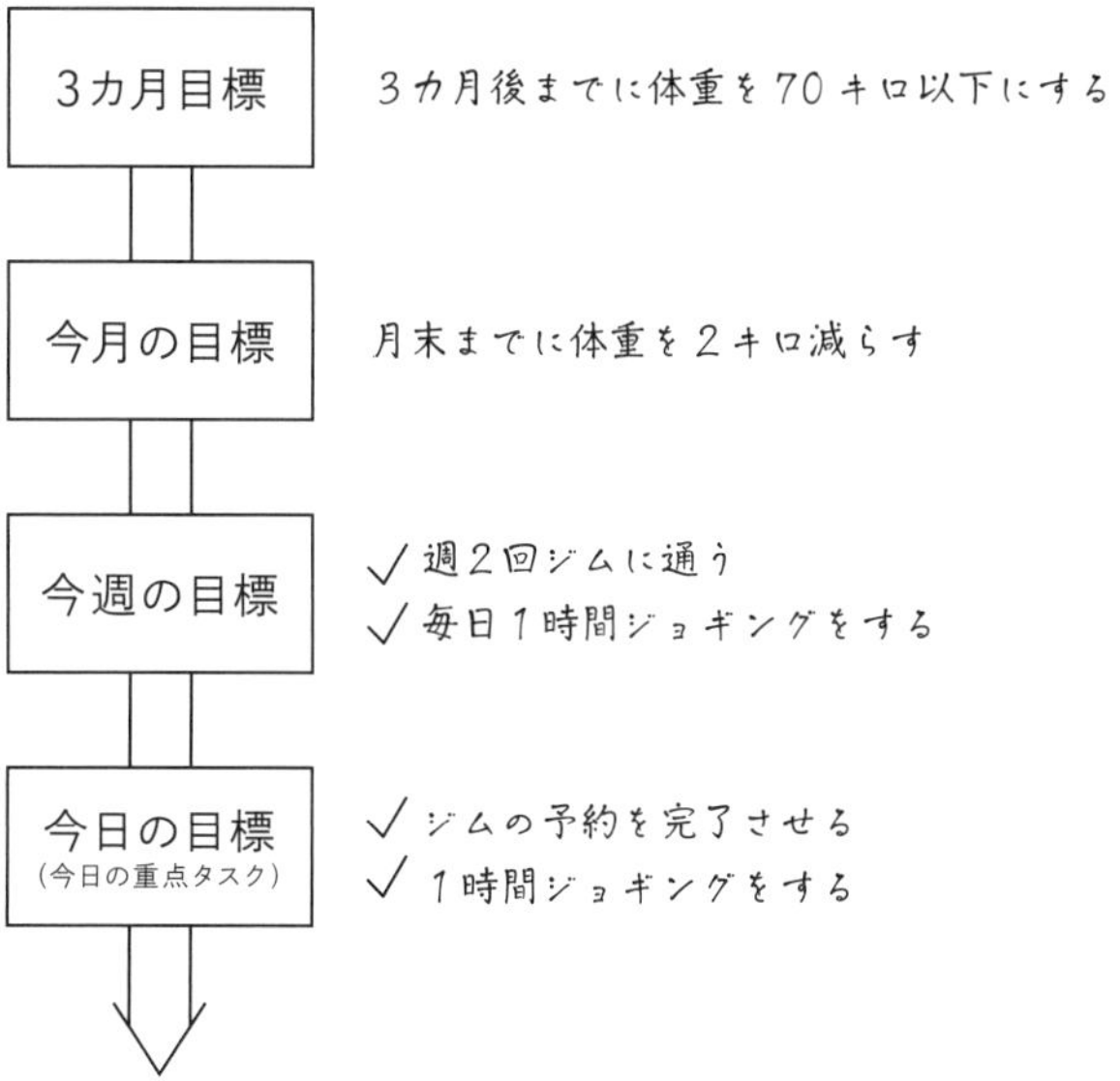
3カ月目標
3カ月後までに体重を70キロ以下にする
今月の目標
月末までに体重を2キロ減らす
今週の目標
✓週2回ジムに通う
✓毎日1時間ジョギングをする
今日の目標
(今日の重点タスク)
✓ジムの予約を完了させる
✓1時間ジョギングをする

7 メモで行動を振り返り、PDCAを回す

本章のパート5で、目標を頓挫させないための秘訣として年間目標を3カ月単位に落とし込む方法を紹介しました。それに加えて、実はもう1つの秘訣があります。それが、**定期的に「振り返り」の機会を持つ**ことです。

目標達成には、定期的な「振り返り」が必須

私は次に示すような形で期間ごとに振り返りの機会を設けることで、目標が頓挫しないように心がけています。

●1日単位の振り返り（その日の夜、または翌日の早朝）
↓その日のよかったことや改善点から、気づきをストックする

●週単位の振り返り（週末）
↓月間目標に対する進捗確認、及び、翌週の目標・計画立て

●月単位の振り返り（月末、または月初）
↓3カ月目標に対する進捗確認、及び、翌月の目標・計画立て

●3カ月単位の振り返り（四半期の最後の月末）
↓年間目標に対する進捗確認、及び、翌3カ月の目標・計画立て

●1年単位の振り返り（年末年始休暇中）
↓今年1年間の反省とビジョンに対する進捗確認、及び、翌年の目標・計画立て

このように、定期的に振り返りの機会を設けるからこそ、「マズい！　来週でどうやって挽回しよう」といった、次の目標へのコミットメントが醸成されていきます。**目標を「書きっぱなし」にしない、計画を「やりっぱなし」にしないための秘訣は、まさに振り返りにある**のです。

正しい「振り返り」の視点

自分の行動を振り返る際に、「できたかどうか」「やったかどうか」という視点だけでは不十分です。あくまで振り返りの目的は、次の2点にあります。

①目標に対する進捗確認
②次のアクションプランの検討

例えば、「週2回ジムに通う」「毎日1時間ジョギングをする」という週間目標を掲げていたとします。

週の終わりに、それらをきっちり達成できていたとしても、上位目標に当たる「月末までに体重を2キロ減らす」というゴールに近づくことができていなければ、それ以降の週間目標の内容は見直す必要が出てきます。

「できたかどうか」「やったかどうか」という視点だけでは不十分と説明した理由はここにあります。

当初考えたアクションプランを、週間目標としてきちんと実行したにもかかわらず、その目的に該当する月間目標の達成には届かなかった。

その事実を受け止め、「では、次はどうするか？」という視点で仮説（次のアクション）を考え、さらなる行動につなげることで、より一層目標に近づこうとトライし続けること。

これが正しい振り返りであり、ＰＤＣＡサイクルの本質なのです。

期間ごとの「振り返り」の仕方

ここで私が実践している振り返りの仕方について具体的に説明したいと思います。

期間ごとにやり方が異なってくるのですが、基本的には短期の振り返りは手軽さを重視し、長期になるほどしっかり熟考するような方法となっています。

◎1日単位・週単位の「振り返り」

毎日、あるいは毎週のことなので、手軽さを重視して振り返りの行為自体が無理なく続くようにしています。

ポイントは、「着眼点」をあらかじめ定めてしまうこと。

そこで私は、サッカー元日本代表監督である岡田武史氏の提唱する「岡田メソッド」を参考に、**「Ｇｏｏｄ・Ｂａｄ・Ｎｅｘｔ」の３点で振り返りをおこなう**方法を採用しています（左図参照）。

「Good・Bad・Next」の3点で振り返りをおこなう

Good 再現性を高める 1日のよかったことや、今後も継続・発展していきたい内容を具体的に書く	**Next** Good／Badから学び、次の行動を考える Good／Badの振り返りから、次に起こす行動を具体的に書く
Bad 失敗を成功への材料にする 改善すべき内容を具体的に書く	

これは岡田氏がサッカーのトレーニング用に紹介したものですが、ビジネスシーンや私生活においても十分に活用できるものです。

◎月単位・3カ月単位・1年単位の「振り返り」

1日単位・週単位の振り返りとは異なり、手軽さよりもしっかりと熟考することによって次の計画へと結びつける方法をとっています。

具体的には、自分で自分に質問を問いかけ、**自己対話を通じて気づきを得るように振り返る「セルフコーチング形式」**でおこないます（246ページ参

月単位の振り返り（基本的には月末に実施）

Q1．今月のよかったことは何か？

Q2．今月の反省点・改善点は何か？

Q3．3カ月計画の進捗はどうか？ 軌道修正すべき点はあるか？

Q4．ここまでを踏まえて、来月は何に注力するか？

Q5．来月のキーパーソンは誰か？ その理由は？

3カ月単位の振り返り（基本的には四半期の最後の月末に実施）

Q1．この3カ月のよかったことは何か？

Q2．この3カ月の反省点・改善点は何か？

Q3．年間計画の進捗はどうか？ 軌道修正すべき点はあるか？

Q4．もっとビジョンに近づくために、やるべきと思うことは何か？

Q5．ここまでを踏まえて、次の3カ月は何に注力するか？

1年単位の振り返り（年末年始休暇を利用して実施）

Q1．今年のよかったことは何か？

Q2．今年1年間でどのような成長や変化があったか？

Q3．今年の目標達成度やそれに対する自己評価は？

Q4．ここまでを踏まえて、来年はどんな1年にしたいか？

1年の振り返りの際に実施するタスク

□「役割リスト」の見直し・修正

□「価値観リスト」の見直し・修正

□「夢リスト」の見直し・修正

□「10年ビジョン」の見直し・修正

□ 翌年の「年間目標」及び「行動計画」の作成

□ 最初の四半期（1～3月）の「目標」及び「行動計画」の作成 など

照）。

私の場合は、愛用している手帳のメモページを使ってセルフコーチングの内容を書き込んでいきますが、自分の使いやすいものを活用すればいいでしょう。

その書き込む行為のなかから得られた考えや気づきをもとにして、次の該当期間における目標設定と計画立てをおこなうイメージです。

1年単位の振り返りは、年の節目でおこなう重要な機会となるため、通常よりも取り組む内容が多いです。私の場合は、心を新たにできる年末年始休暇を利用し、3〜5日かけてじっくりとこれらのタスクをこなしていくのが毎年のルーティンとなっています。

なお、私が監修している綴じ手帳『夢をかなえるライフデザイン手帳』（明日香出版社）は、ここで紹介したような目標設定や振り返りに重きを置いたコンセプトの手帳です。この手帳を使うだけで、自然とPDCAサイクルが回っていくように設計されていますので、ご興味ある方はぜひチェックしてみてください。

8 「一人戦略会議」に1％の時間を投資する

前のパートで紹介した振り返りは、一人で黙々と未来について思考にふける行為であることから「一人戦略会議」と私は呼んでいます。

「一人戦略会議」のススメ

そんな「一人戦略会議」ですが、ここまで読み進めて「どれぐらい時間をかけているのだろうか？」と疑問を持った方もいらっしゃると思います。

結論からお伝えすると、**自分の持っている時間の1％を一人戦略会議にあてることで、残り99％の時間を豊かにする**という発想で私は取り組んでいます。

「一人戦略会議」にかける時間の目安

日次	15分	
週次	1時間30分	
月次	6時間	※基本、早朝〜お昼まで
四半期	約2日間	※早朝〜お昼まで×2日
年次	約5日間	※年末年始休暇中

例えば、1日単位の場合だと、「1日24時間の1％＝約15分」となるので、毎日15分ほどを1日の計画立てや振り返りの時間としてあてます。

同じような考え方から、1週間の振り返りや計画立てをおこなう際には、約1時間半かけて取り組みます（上図）。

月次の一人戦略会議が6時間と聞くと長すぎる印象があるかもしれませんが、ここで取り組む内容は「1カ月の振り返り」と「翌月の目標設定」にとどまりません。

日々たまっていくメモ類の整理や、読み終わった本の読書ノート作成（第三章）など、身の回りを整理する時間にもあてます。

同様に、四半期ごとの「一人戦略会議」

であれば、「直近3カ月の振り返り」と「翌3カ月の目標設定」だけでなく、ビジョンの再確認や年間計画の修正、手帳のフォーマットの見直し、読もうとして積んだ状態のままの本の読書など、実に多くのことに取り組みます。

このように、一人戦略会議は自分自身の行動を省みて、今後の行動指針と具体的な計画を練り上げるだけでなく、**普段忙しさにかまけてなかなか取り組めない重要タスクをこなす非常に大切な時間**でもあります。

もちろん、必ずしもきっちり1%の時間にすることはありません。ただ、定期的にまとまった時間を確保して取り組めるよう、私はあらかじめ3カ月先まで一人戦略会議を実施するスケジュールをブロックしています。

「一人戦略会議」の効果的なやり方

比較的頻度の多い日次や週次の「一人戦略会議」とは異なり、四半期ごとや年次で取り組む一人戦略会議については心機一転するような節目となるタイミングであることから、普段とは一味違う環境で取り組むとより効果を高めることができます。

効果的に取り組むポイントは2つあります。


1つめは、**普段とは少しだけ異なる環境でおこなう**こと。

例えば、お気に入りのカフェや普段あまり行くことのないホテルのラウンジなどが該当します。

私の場合、一人戦略会議は自宅の書斎でおこなうことがほとんどですが、四半期ごとの場合はあえてホテルに宿泊して取り組むこともあります。

普段とは異なる環境に身を置くことで、新しいインスピレーションを得やすくなるだけでなく、どこか新鮮な気持ちになって先々の計画を練ることができます。

これは実際にやってみて体感しないとわからないことなので、ぜひ一度試してみてください。


2つめは、**他力を活用する**ことです。

多忙な日常から少し離れ、落ち着いた状態のなかで一人戦略会議に取り組む重要さをわかってはいても、「なかなか忙しくてそれができない」となってしまいがちです。

一人戦略会議に取り組むこと自体の緊急性は高くなく、仮にサボったとしても誰かに叱られたり困るようなことはないためです。

このような場合は、誰かと一緒に取り組むというのが有効です。

友人など仲間とカフェやファミレスで集まり、一緒に黙々と作業をするのです。

一人戦略会議と呼ぶぐらいなので、作業自体は各々で取り組むことになりますが、例えば**「直近3カ月を振り返ってみてどうだったか？」**や**「次の3カ月はどう過ごそうとしているのか？」**など、仲間同士で内容を共有し合うと自分一人では気づけなかったような発想やアイディアを得ることができます。何より、仲間同士で取り組む日を約束しているので、半強制的に取り組むことができます。

このように、自分だけとの約束にすると頓挫してしまいがちな人は、他力を上手く活用するといいでしょう。

ここで紹介した2つのポイントを踏まえて、私が主宰する『My手帳倶楽部』では、

3カ月に一度の頻度でこの「一人戦略会議」を皆で集まっておこなうワークショップを開催しています。

私がインストラクター役となって進行するワークショップなのですが、半強制的に作業に没頭できるだけでなく、参加者同士で意見交換などもおこなうことから、プラスの刺激を受けることができると好評です（毎回開催地を変えているので、ちょっとした旅行気分で参加できるのもいい点です）。

このように、仲間うちで一人戦略会議に取り組むための企画を練ってみると、普段とは違った環境で他力を活用することができるのでお勧めです。

9 毎日アファメーションを書いて、自分を奮い立たせる

目標を達成する上で、ノートや手帳にアファメーションを書く習慣も役立ちます。

アファメーションとは、肯定的な言葉による自己暗示のことで、簡単にいえば「な

りたい自分になるための肯定的な宣言」です。

日本では昔から「言霊《ことだま》」という言葉があるように、人が口に出す言葉には特殊な力が宿っていると考えられていますが、その言霊の力を借りて、なりたい自分へと近づこうとするのがアファメーションです。

アファメーションは、コーチングの手法として紹介されることが多いですが、自分で自分の潜在意識に「自分はこうである」と刷り込むような自己暗示が主な効果として期待されます。

「私は楽しい仕事をしています」
「私は自分の目標に向けて、一歩一歩着実に近づいています」
「私は人から好かれる魅力的な存在です」
「私は何でも素直に受け入れることができます」
「今日は最高の1日になります」

これらはあくまで一例ですが、自分自身が奮い立たされるのであれば、内容は何でもOKです。

このような肯定的な言葉を何度も繰り返すと、やがて**「自分とはこういう人間である」というセルフイメージ**がつくられます。

実践方法は非常に簡単で、ノートや手帳に書き込むだけ。毎日取り組むと効果的とされていますが、私の場合は、毎朝手帳を使って1日のスケジュール確認をおこなう際に、その日のページへアファメーションを書き込むようにしています。また、「アファメーション・ノート」という形で、アファメーションを書き込むための専用のノートを設ける方もいます。

言葉によるまやかしに感じてしまうかもしれませんが、世界で活躍するアスリートや起業家も実践しているほど効果は絶大です。

私の周囲の人からも、アファメーションを書く習慣を毎朝のルーティンとすることで、「自己肯定感が高まっている」「モチベーションが高い状態で1日をスタートできる」といった感想を聞くことが多いです。

自分を奮い立たせるための方法として、ぜひ取り入れてみてください。

10 書く瞑想「ジャーナリング」で心を整える

頭に思い浮かんだことをありのままに書き出していくことで、自己理解を深め、ストレスを軽減させ、メンタルヘルスを高める効果があります。

これをジャーナリングといいます。

ジャーナリングの効果

頭に浮かんだことを紙に書き出すことで、集中力を高められるほか、自分や物事を客観視することができ、そこから多くの気づきや発見が得られます。

さらに、ネガティブな感情の増幅を抑えてポジティブな感情をつくり出すことができるようになるのです。

こうした効果から、ジャーナリングは「書く瞑想」とも呼ばれ、昨今ではメンタルヘルスやマインドフルネスの手法の1つとして注目を集めていて、その効果は心理学や社会学などの分野でも明らかにされています。

何となく気持ちがモヤモヤしているときや、やることが多すぎて混乱しているときに、**紙に書き出すことで頭のなかが整理されて不安がなくなる**と感じた経験をお持ちの方も少なくないのではないでしょうか。

ジャーナリングの取り組み方

さて、ここまでの説明から「何となく難しそう」と感じてしまった方もいるかもしれませんが、実際にはそんなことはありません。

具体的には、次の3ステップで取り組みます。

Ｓｔｅｐ１　書く時間を定める（5分、10分、15分など自由に設定）
Ｓｔｅｐ２　テーマを決めて、Ｓｔｅｐ１で決めた時間ずっと書き続ける
Ｓｔｅｐ３　頭で考えずに、とにかく手を動かす（誤字や脱字を気にしない）

実施するタイミングは、朝起きてから仕事終わり、寝る前などがいいとされています。毎日書けると理想的ですが、週1回でもOKです。

気をそらせるものがないプライベートな空間でおこなうのがいいでしょう。

ポイントは、**とにかく制限時間中は事実や気持ちをあるがままに書き殴り続けること**です。まだ時間が余っているのに書くことがないなと感じたら、「やばい書くことがない」と書きます。それぐらい思ったこと、感じたことをそのまま書き出していくのです（テーマ例は左記）。

ジャーナリングにお勧めのノート

ジャーナリングのテーマ例

・今日をすばらしい1日にするには？
・より一層ビジョンに近づくためには？
・今の自分の課題は？
・今何となく気持ちがモヤモヤしているのはなぜ？
・今感じていること、思っていることは？
・最近イライラしたことは？
・10年後どんな自分になっていたいか？

ジャーナリングをおこなう用紙に決まりはありませんが、ここはぜひ「用紙の色」や「紙の質感」など自分なりにこだわったもので取り組んでいただきたいところです。

私のお勧めは、書き込むスペースの制約に気をとられない大きめのノートを活用することです。

本書の第二章でも紹介したマルマン社のニーモシネ（A3サイズ）が、ジャーナリングをおこなうのにも最適だと感じています。

紙とペンさえあればすぐに取り組めるのがジャーナリングの利点です。ぜひ今日から実践してみてください。

【ワーク】あなたの目標を書き出してみよう

次の質問について考え、目標を設定してみましょう。

Q1　直近（または今年）1年間の目標は何ですか？　あなたの役割ごとに設定してみましょう。

Q2　Q1を達成するための直近3カ月のゴールを定めましょう。

Q3　Q2を達成するための今月のゴールを定めましょう。

Q4　Q3を達成するために、今週やるべき具体的なタスクを書き出してみましょう。

おわりに――「メモ」と「書く習慣」が、未来を変える！

思い返せば、私にとっての「書く習慣」の原体験は小学生時代にありました。学習テーマを自分で定め、そのテーマについて学んだことをノートにまとめて先生に提出するという宿題です。

漢字ドリルのような通常の宿題とは異なり、やってもやらなくてもいいという生徒の自発性を尊重したルールで、ノートを提出した場合は教室後方の黒板に掲示された表にシールを貼ることができます。

当時の私は勉強嫌いでしたが、このノートを活用した宿題だけは別でした。どのようなことをノートにまとめたのか記憶は曖昧ですが、歴史上の人物を調べたり、恐竜について調べたりしたのを覚えています。

私は毎日のように、このノートをまとめる宿題に夢中になって取り組みました。

「ノートのまとめ方が上手だね」と先生にほめてもらえたことも、私を勢いづけたのでしょう。黒板の表にある私の名前に貼られたシールの枚数は、クラスで断トツの1位でした。

「書く習慣」が、勉強嫌いだった少年を変えたのです。

＊

本書を通じて、私がこれまでに培ってきたメモ術のすべてをお伝えしました。

一ビジネスパーソンとして、一経営者として、仕事で結果を出すために追求し、実践するなかから確立してきた実用的な技術です。

あなたが本書を片手にペンをとり、メモを残し、「書く習慣」を実践していくことによって、人生をより豊かなものにしていただけることを願ってやみません。

高田　晃

読　者　特　典

『メモで自分を動かす全技術』
読者限定プレゼント

著者による

「メモ帳&ノートの中身」実物解説動画

を無料プレゼント！

日々書きためられるメモやノートを

具体的にどのように活かしているのかを、

著者自ら実物を使って解説した貴重な動画です。

下記のURLまたはQRコードから取得してください

https://jnma.jp/memo/

著者
高田 晃（たかだ・ひかる）
一般社団法人 日本手帳マネージメント協会　代表理事
株式会社ラグランジュポイント 代表取締役社長

手帳を活用した目標達成メソッドで、自己実現のためのコーチングを手掛けるライフコーチ。

「手帳で人生をデザインする」を標語として掲げ、キャリア形成・独立起業・習慣化・自己改革など、手帳によって人生を設計してきた約20年にわたる自らの経験をベースに、その方法論をコーチングやセミナー等を通じて発信している。

「人生をデザインする」ための知識と刺激を得られる学習コミュニティ『My手帳倶楽部』を主宰。

また、法人向けのWebコンサルティング会社も経営。自らもコンサルタントとして活動し、商工会議所など全国各地の各種団体で、年間100回以上の登壇数を誇る人気セミナー講師でもある。

著書に『手帳で夢をかなえる全技術』『夢をかなえるライフデザイン手帳』（以上、明日香出版社）、『小さな会社 ネット集客の鉄則』（クロスメディア・パブリッシング）、『ネット集客のやさしい教科書。小さな会社がゼロから最短で成果をあげる実践的Webマーケティング』（MdNコーポレーション）がある。

趣味のサーフィンでは、毎年大会に出場する競技者としての顔をもつ一方、少年サッカーチームのコーチとしても精力的に活動。公私にわたって全力投球なライフスタイルを送る3児の父である。

大手前大学 通信教育部 非常勤講師。YouTubeチャンネル「手帳の強化書」で、手帳関連の情報を発信中。

メモで自分を動かす全技術

2023年 9月24日 初版発行
2023年10月 6日 第11刷発行

著者　高田晃
発行者　石野栄一
発行　明日香出版社
〒112-0005 東京都文京区水道2-11-5
電話 03-5395-7650
https://www.asuka-g.co.jp
デザイン　大場君人
校正　共同制作社
印刷・製本　美研プリンティング

ISBN 978-4-7569-2285-4